Evaluation and Quick Reference for Waterlogging Tolerance of Common Landscape Plants in Northern China

北方地区常用园林植物耐涝性评价与速查

孙宏彦　朱建刚　舒健骅　等 著

化学工业出版社

·北京·

内容简介

本书聚焦北方地区特殊的地理环境，针对园林绿化中因降水不均、土壤积水引发的植物涝害问题，基于多年实地调研与实验数据，结合植物生理学、生态学原理，对北方地区百余种常用乔木、灌木、藤本植物、草本植物的耐涝能力进行分级评价，并结合北方土壤地域特点，推荐低洼地、滨水带、雨水花园等场景的植物选择方案，融入海绵城市理念，助力构建兼具生态韧性与美学价值的绿地系统。

本书适用于园林设计师、市政绿化管理者、苗圃从业者、景观专业师生及园艺爱好者。无论是新建项目的科学规划，还是既有绿地的涝害修复，本书均可作为专业工具书与设计灵感来源。

图书在版编目（CIP）数据

北方地区常用园林植物耐涝性评价与速查 / 孙宏彦等著. -- 北京 : 化学工业出版社，2025. 9. -- ISBN 978-7-122-48638-7

Ⅰ. S68

中国国家版本馆 CIP 数据核字第 2025FP6123 号

责任编辑：刘晓婷　林　俐　　文字编辑：蒋　潇
责任校对：刘曦阳　　装帧设计：韩　飞

出版发行：化学工业出版社
（北京市东城区青年湖南街 13 号　邮政编码 100011）
印　　装：天津裕同印刷有限公司
710mm×1000mm　1/16　印张 14　字数 254 千字
2026 年 1 月北京第 1 版第 1 次印刷

购书咨询：010-64518888　　售后服务：010-64518899
网　　址：http : //www.cip.com.cn
凡购买本书，如有缺损质量问题，本社销售中心负责调换。

定　　价：98.00 元　

本书作者名单

孙宏彦　朱建刚　舒健骅　赵正楠
王茂良　刘　思　丛日晨　朱　婧
韩雪媚　李新宇　李延明　王　涛
杨　城　马可欣　彭玉信　张恒月
王　雪　李金凤　律　江　何婷婷
徐家林　衣泽洋　陈洪伟　陈志刚

前言

· Preface ·

在我国北方广袤的土地上，四季分明的气候塑造了独特的园林风貌，却也带来了不容忽视的生态挑战，涝害成为制约园林植物健康生长的关键因素之一。近年来，因极端天气事件频发和城市化进程加快，绿地系统面临的涝害风险日益加剧。如何科学选择适生植物、构建抗逆景观，既是园林工作者亟待破解的实践难题，也是建设海绵城市、提升生态韧性的时代命题。

本书的诞生，源于对北方地区园林困境的深刻观察与长期实践。在多年的项目调研中，我们目睹了树木因水涝而根系窒息、叶片枯黄，也见证了植物在河岸郁郁葱葱、于湿地蓬勃绽放的生命韧性。这些对比鲜明的案例揭示了一个核心规律，即植物对水涝胁迫的响应存在显著的种间差异，而精准认知并应用这种差异，是破解涝害困局的关键。遗憾的是，现有园林植物的相关研究中，聚焦园林植物耐涝性的系统研究仍显匮乏，地域性指导工具尤为稀缺。改变这一现状，正是本书编写的初衷。

全书以“科学评价、高效检索”为主要特点，构建了北方地区耐涝植物研究的完整框架。第一部分（第 1 章、第 2 章）从植物水涝逆境生理机制切入，针对北方地区常用园林植物，建立包含淹水时长、叶片基本特性、光合作用、淹水前后观赏性状、养护一个月和越冬后的存活率、观赏性状等指标的多维评价体系；第二部分（第 3 ~ 6 章）创新编制各类植物的耐涝速查图谱，每类评价等级细分为极强、强、中、差、极差；第三部分（第 7 章）编制了实用的速查表，方便读者查询，实现“一书在手，决策无忧”。

本书的编写团队由园林植物学、生态工程学专家与一线景观设计师组成，历时九年完成本书编写工作。研究通过控制性淹水实验、叶绿素荧光监测等技术手段，对北方地区常用园林植物进行动态观测，积累大量的有效数据。书中案例均源自实际工程项目，特别感谢北京市园林绿化科学研究院等单位提供的观测支持。

需要说明的是，植物的耐涝性并非绝对属性，其表现受土壤质地、微地形、伴生植物等多重因素影响。书中提供的分级评价，需结合现场勘察灵活运用。我们期待这本兼具学术严谨性与工具实用性的专著，能够为园林设计师提供科学选种的决策依据，为绿化管理者构筑灾损防控的预警基线，更为北方地区城乡的生态安全增添一份专业守护。

由于作者水平有限，书中内容疏漏之处在所难免，恳请业界同仁与读者不吝指正。愿本书能化作一粒种子，在北方大地的沃土中生根发芽，见证更多兼具生命力与艺术美的绿色空间绵延生长。

著者

2025 年夏于北京

目录

Contents

第 6 章

草本植物耐涝性评价

第1章

引 言

1.1 筛选耐涝园林植物的背景与意义

全球气候异常导致极端天气状况频发，局部地区暴雨和洪涝灾害严重，对植物的生存和生长造成显著影响。北京属于温带季风气候，夏季高温多雨，冬季寒冷干燥，春秋季节短促。近年来，北京地区极端天气多发，尤其在夏季多次发生特大暴雨，短时间内降雨可达200mm，城市雨水管网面临巨大压力，城市安全也遭受严重威胁。为了缓解城市雨洪压力，人们越来越关注作为城市“天然蓄水池”的城市绿地，雨水花园、集雨型绿地、下沉式绿地以及海绵城市理念兴起，利用绿地蓄积、滞留雨水的能力实现高效、可持续的雨洪控制，成为城市绿地建设和改造过程中的重要考量。

随着雨水蓄积型绿地的兴建，城市建设中对耐涝园林植物的需求显著增加，栽植耐涝园林植物成为保护并维持城市绿化效果最经济有效的方式，因此筛选耐涝园林植物并准确鉴定常用园林植物的耐涝性是维护城市绿地生态安全的首要条件和必要途径。基于此，借助北京市科技计划课题“城市建成区绿地雨水蓄渗利用技术集成示范”和“基于改善本地生态功能的植物引进、筛选、培育研究及示范”的支持，本研究对北京地区138种常用园林植物进行了耐涝性评价，并筛选出了耐涝性强的园林植物，为海绵城市的建设提供了更为丰富的植物材料选择，为城市绿地的养护提供了参考和指导，有助于维护城市绿地的生态安全性和稳定性。

1.2 研究内容与技术路线

1.2.1 研究内容

本研究以北京地区常用园林植物为研究对象，设置不同淹水时长作为实验处理，以植物在淹水过程中的生理变化、生长表现和观赏效果，以及淹水结束一个月后和越冬后的成活率与恢复情况为主要评价指标。一方面，建立园林植物耐涝性筛选评价体系，快速有效地评价大量园林植物的耐涝性；另一方面，依托该评价体系筛选出适宜北方地区的耐涝植物种类，为海绵城市蓄水型绿地的建设提供更多的植物材料选择，并为集雨型绿地后期的养护提供参考和指导，减少园林绿地因积水造成的潜在损失，维护城市绿地生态安全。本研究共对 94 种木本植物、44 种草本植物进行了耐涝性评价及筛选。

1.2.2 技术路线（图 1–1）

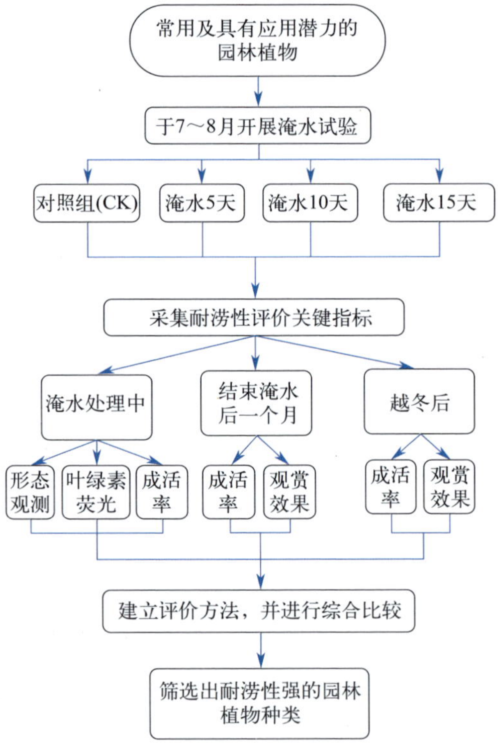

图 1–1 技术路线

1.3 植物耐涝性研究现状

1.3.1 淹水胁迫对植物的影响

土壤孔隙中的水分和空气含量通常呈负相关关系。涝害是指土壤水分达到饱和时对植物正常生长发育所产生的危害。当涝害发生时，土壤中的水分过多，会减少空气含量，因此，涝害的本质是通气不良造成植物根系低氧或者缺氧，从而影响根系生长和地上部分的生长。过量的水分会影响植物的代谢、营养吸收和氧气交换，进而影响作物的生长发育和产量与品质。

根系对植物生长有重要作用，它也是淹水时最先受到缺氧影响的部位。在正常条件下，植物的根有吸收、固定、支持、输导、合成和贮藏等重要的生理功能。土壤水分直接影响根系的形态、结构和分布，并且无机盐必须溶于水后才能被根系吸收。此外，根系生理作用的发挥离不开氧气。氧气是呼吸作用中电子传递链的受体，根系在有氧条件下能产生大量腺苷三磷酸（ATP），为生理活动提供能量，实现根系合成、吸收和运输功能。而缺氧条件和无氧条件下，根系仅能产生少量的 ATP 和大量的酒精、乳酸等有害物质。

淹水对植物有以下几个方面的影响：由于 ATP 减少，根系对养分的吸收和运输能力下降；植物会产生过量的活性氧（ROS），从而引起丙二醛（MDA）含量增高，造成细胞膜系统损伤，导致叶绿体、线粒体和细胞膜系统解体；无氧发酵导致细胞 pH 值降低，细胞酸化引起细胞死亡；长期淹水会导致气孔关闭，伴随着叶绿素降解和叶片衰老，影响气体交换和光合速率，最终表现为植株矮小和叶片黄化脱落等不良生长现象。

1.3.2 植物对淹水胁迫的响应

植物进化出各种机制应对淹水胁迫。一些植物通过改变形态来适应淹水环境，包括形成通气组织、促进茎的伸长以及形成不定根，这种情况叫低氧逃逸。还有一些植物通过静止策略来抵御淹水的影响，包括降低代谢速率、缓慢生长以及增强抗氧化防御系统。植物对缺氧胁迫的响应可分为三个阶段：首先，植物快速诱导产生信号转导分子；其次，这些信号分子引发大量应急反应基因的表达；最后，植物通过调控发酵途径来补充能量，并通过调控抗氧化系统清除活性氧，同时形成通气组织和不定根以增强抗逆性。通气组织可以促进氧气向根尖扩散，传递信号分子和清除有害气体；不定根可以利用地表的氧气，缓解低氧对植株的伤害。

在能量代谢方面，淹水胁迫使得植物处于无氧或者缺氧状态，有氧呼吸的三羧酸循环和氧化磷酸化被抑制，能量代谢方式由有氧呼吸转变为无氧呼吸；维持较高水平的无氧呼吸是抵御淹水胁迫的关键；缺氧条件下，由糖酵解代替氧化磷酸化成为产生 ATP 的主要途径。此外，与 ATP 和碳水化合物分解相关的基因受到影响，如丙酮酸脱羧酶（PDC），乙醇脱氢酶（ADH）和蔗糖磷酸化合成酶（SPS）都会在厌氧发酵过程中显著上调。

植物在淹水条件下的变化还包括以下方面：淹水胁迫会导致植物体内产生大量的活性氧（ROS），为减少 ROS，植物体内会产生一系列清除自由基的体系，出现一系列抗氧化途径，如过氧化物酶（POD）、超氧化物歧化酶（SOD）和一系列小分子抗氧化物等。淹水胁迫也会导致植物激素发生变化。研究表明，乙烯生物合成前体在淹水条件下会在根中增多，转移到芽后形成乙烯。淹水会导致乙醇脱氢酶（ADH）活性增高脱落酸（ABA）含量降低，从而诱导产生 ABA 受体和依赖 ABA 的转录因子。小 RNA 也影响淹水胁迫下根的发育和伸长。淹水条件下，Ca^{2+} 依赖的 CML 和 CaM 基因会上调表达，这些基因与植物细胞壁合成有关。钙离子浓度的变化也会引起 WRKY22 基因的表达。WRKY22 是一个重要的转录调控因子，与 MAPK 信号级联有关，参与很多植物免疫反应。

1.3.3 植物耐涝性研究方法

国内外学者开展了大量耐涝性相关研究。根据实验目的和各地气候特点的不同，实验方法和周期各有不同。为筛选适宜厦门气候条件的耐涝植物，林建成等（2017）对闽南夹竹桃、棕榈和桑树这 3 种常见乔木树种进行了耐涝性研究，模拟厦门汛期长、降雨频繁的自然条件，设置了间歇性淹水，每次淹水时长为 24 ～ 48h，整个淹水实验持续 6 个月，覆盖整个厦门汛期。本研究是为解决北方地区，尤其是北京夏季暴雨季节的短时积水问题，因此实验在高温高湿的雨季进行，设计的淹水时间为 5 天、10 天和 15 天，淹水高度为高于土壤表面 10cm。通常来说，城市绿地积水不会超过 48h，而集雨型绿地积水时间可能略长，但一般不会超过 5 天，时间过长会引起蚊蝇滋生等其他连锁问题。本研究在降雨集中、易出现大面积积水的夏季开展，设置 5 天、10 天和 15 天的淹水处理，来筛选适合用于北方地区海绵城市绿地建设的强耐涝性植物种类，是更适宜北京气候特点的研究方法。

1.3.4 植物耐涝性评价指标

植物耐涝性是一个综合性指标，以往研究主要从植株的形态结构、生理代谢、生长状况及存活率等方面来评价。其中存活率是评价植物耐涝性的一个重要指标，在长期淹水胁迫下，强耐涝性植物的存活率明显高于耐涝性差的植物，因此，许多研究都将经淹水胁迫后的存活率作为重要衡量指标。然而，现有研究较少关注植物脱离涝害胁迫后的恢复能力。此外，观赏效果是园林植物的重要价值特点，经历淹水胁迫后能否保持其观赏特性，也是评价其耐涝性的重要环节。应注意，木本植物在根系受损后仍然可以像瓶插植物那样通过被动吸水维持地上部的存活，造成“假活”现象，进而影响研究结果。同时，经历涝害胁迫后，植物即使短期内存活，其抗逆性也可能下降，进而影响越冬能力，因此木本植物越冬后的成活率和观赏效果也是非常重要的评价指标。本研究在考虑淹水过程中的生理变化、形态变化和成活率的同时，也将停止淹水一个月后以及越冬后的成活率和植物观赏效果作为反映木本园林植物耐涝性的重要指标，更能准确反映以观赏为目的的园林植物的综合耐涝性。

1.3.5 植物耐涝性评价方法

目前国内外的植物耐涝性研究多集中在农作物、果树和林业方面，在园林植物耐涝性研究方面相对较浅，且筛选品种较少。相关研究通常仅比较几种植物的耐涝性，评价指标全面但繁杂，指标测定费时费力，对仪器要求较高，且评价方法多采用主成分分析法、隶属函数法或模糊数学法，往往过度关注细节变化，计算方法烦琐。为满足海绵城市建设的需求，本研究旨在为北京地区筛选耐涝植物品种。针对大量植物筛选的工作特点，本研究选取植物受到涝害胁迫时表现较明显的快速测定指标进行测定，包括叶绿素光合荧光潜能、叶片 SPAD、叶片含水率、比叶面积、叶片留存率、恢复后成活率、恢复后观赏效果、越冬后成活率及越冬后观赏效果。这些指标参数较容易获取，测定成本低，有助于快速有效地开展工作，适合大规模开展植物耐涝性筛选。

第2章

筛选耐涝园林植物的试验方法

2.1 试验植物材料

本试验选择我国北方地区常用园林植物作为研究对象，共对 138 种植物开展了耐涝能力研究。其中乔木绿化树种 32 种，灌木或小乔木绿化树种 56 种，藤本植物 6 种，草本植物 44 种。具体植物材料情况见表 2-1 ～表 2-4。试验材料均为二年生植株，于 3 月移栽至 20cm×20cm 的花盆内，基质为园土∶草炭 =1∶4，正常水肥养护管理至 6 月，培养壮苗待用。

表 2-1　乔木植物材料基本情况表

序号	拉丁名	科属	类型
1	白蜡树 *Fraxinus chinensis* Roxb.	木樨科梣属	落叶乔木
2	白皮松 *Pinus bungeana* Zucc. ex Endl.	松科松属	常绿乔木
3	白桦 *Betula platyphylla* Sukaczev	桦木科桦木属	落叶乔木
4	垂柳 *Salix babylonica* L.	杨柳科柳属	落叶乔木
5	侧柏 *Platycladus orientalis*（L.）Franco	柏科侧柏属	常绿乔木
6	刺槐 *Robinia pseudoacacia* L.	豆科刺槐属	落叶乔木
7	紫丁香 *Syringa oblata* Lindl	木樨科丁香属	落叶小乔木或灌木
8	三球悬铃木（法桐）*Platanus orientalis* L.	悬铃木科悬铃木属	落叶乔木
9	圆柏（桧柏）*Juniperus chinensis* L.	柏科刺柏属	常绿乔木
10	槐（国槐）*Styphnolobium japonicum*（L.）Schott	豆科槐属	落叶乔木
11	君迁子（黑枣）*Diospyros lotus* L.	柿科柿属	落叶乔木
12	黄栌 *Cotinus coggygria* var.*cinereus* Engl.	漆树科黄栌属	落叶小乔木或灌木
13	火炬树 *Rhus typhina* L.	漆树科盐麸木属	落叶小乔木或灌木
14	栾（栾树）*Koelreuteria paniculata* Laxm.	无患子科栾属	落叶乔木或灌木

续表

序号	拉丁名	科属	类型
15	绒毛白蜡 *Fraxinus tomentosa* F. Michx.	木樨科梣属	落叶乔木
16	龙柏 *Juniperus chinensic* '*Kaizuca*'	柏科刺柏属	常绿乔木
17	山桃 *Prunus davidiana*（Carr.）Franch.	蔷薇科李属	落叶乔木
18	碧桃 *Prunus persica* '*Duplex*'	蔷薇科李属	落叶乔木
19	山楂 *Crataegus pinnatifida* Bunge	蔷薇科山楂属	落叶乔木
20	柿 *Diospyros kaki* Thunb.	柿科柿属	落叶乔木
21	白杜（丝绵木）*Euonymus maackii* Rupr.	卫矛科卫矛属	落叶小乔木
22	西府海棠 *Malusx* × *micromalus* Makino	蔷薇科苹果属	落叶小乔木
23	雪松 *Cedrus deodara*（Roxb.）G.Don.	松科雪松属	常绿乔木
24	银杏 *Ginkgo biloba* L.	银杏科银杏属	落叶乔木
25	油松 *Pinus tabuliformis* Carrière	松科松属	常绿乔木
26	榆（榆树）*Ulmus pumila* L.	榆科榆属	落叶乔木
27	玉兰 *Yulania denudata*（Desr.）D.L.Fu	木兰科木兰属	落叶乔木
28	元宝槭（元宝枫）*Acer truncatum* Bunge	无患子科槭属	落叶乔木
29	中华金叶榆 *Ulmus pumila* '*Zhonghua Jinye*'	榆科榆属	落叶乔木
30	'金叶' 梣叶槭 *Acer negundo* '*Auratum*'	无患子科槭属	落叶乔木
31	毛白杨（速生杨）*Populus tomentosa Carr.*	杨柳科杨属	落叶乔木
32	暴马丁香 *Syringa reticulata* subsp. *amurensis*（Rupr.）P.S. Green & M.C.Chang	木樨科丁香属	落叶乔木

表 2-2 灌木植物材料基本情况表

序号	拉丁名	科属	类型
1	白丁香 *Syringa oblata* '*Alba*'	木樨科丁香属	落叶小乔木或灌木
2	重瓣榆叶梅 *Prunus triloba* '*Multiplex*'	蔷薇科李属	落叶灌木
3	大花醉鱼草 *Buddleja colvilei* Hook.f.& Thoms.	玄参科醉鱼草属	半常绿灌木
4	大叶黄杨 *Buxus megistophylla* H. Lév.	黄杨科黄杨属	常绿灌木
5	棣棠 *Kerria japonica*（L.）DC.	蔷薇科棣棠属	落叶灌木
6	多花胡枝子 *Lespedeza floribunda* Bunge	豆科胡枝子属	落叶灌木
7	凤尾丝兰 *Yucca gloriosa* L.	天门冬科丝兰属	常绿灌木
8	海州常山 *Clerodendrum trichotomum* Thunb.	唇形科大青属	落叶灌木或小乔木
9	红瑞木 *Cornus alba* L.	山茱萸科山茱萸属	落叶灌木
10	胡枝子 *Lespedeza bicolor* Turcz.	豆科胡枝子属	落叶灌木
11	黄刺玫 *Rosa xanthina* Lindl.	蔷薇科蔷薇属	落叶灌木
12	火焰卫矛 *Euonymus alatus* '*Compactus*'	卫矛科卫矛属	落叶灌木
13	胶东卫矛 *Euonymus kiautshovicus* Loes.	卫矛科卫矛属	半常绿灌木
14	金焰绣线菊 *Spiraea japonica* '*Goldflame*'	蔷薇科绣线菊属	落叶灌木
15	金叶风箱果 *Physocarpus opulifolius* '*Lutea*'	蔷薇科风箱果属	落叶灌木

续表

序号	拉丁名	科属	类型
16	金叶连翘 *Forsythia suspensa* ‘*Aurea*’.	木樨科连翘属	落叶灌木
17	金叶女贞 *Ligustrum* × *vicaryi* Rehder	木樨科女贞属	落叶灌木
18	金叶莸 *Caryopteris* × *clandonensis* ‘*Worcester Gold*’	唇形科莸属	落叶灌木
19	金银忍冬（金银木）*Lonicera maackii*（Rupr.）Maxim.	忍冬科忍冬属	落叶灌木
20	金钟花 *Forsythia viridissima* Lindl.	木樨科连翘属	落叶灌木
21	锦带花 *Weigela florida*（Bunge）A. DC.	忍冬科锦带花属	落叶灌木
22	锦鸡儿 *Caragana sinica*（Buc’ hoz）Rehder	豆科锦鸡儿属	落叶灌木
23	荆条 *Vitex negundo* var. *heterophylla*（Franch.）Rehder	唇形科牡荆属	落叶灌木或小乔木
24	连翘 *Forsythia suspensa*（Thunb.）Vahl	木樨科连翘属	落叶灌木
25	叉子圆柏（沙地柏）*Juniperus sabina* L.	柏科刺柏属	常绿灌木
26	麦李 *Prunus glandulosa* Thunb.	蔷薇科李属	落叶灌木
27	玫瑰 *Rosa rugosa* Thunb.	蔷薇科蔷薇属	落叶灌木
28	木槿 *Hibiscus syriacus* L.	锦葵科木槿属	落叶灌木
29	糯米条 *Abelia chinensis* R. Br.	忍冬科糯米条属	落叶灌木
30	欧洲荚蒾 *Viburnum opulus* L.	荚蒾科荚蒾属	落叶灌木
31	平枝栒子 *Cotoneaster horizontalis* Decne.	蔷薇科栒子属	落叶或半常绿匍匐灌木
32	铺地柏 *Juniperus procumbens*（Siebold ex Endl.）Miq.	柏科刺柏属	常绿灌木
33	野蔷薇（蔷薇）*Rosa multiflora* Thunb.	蔷薇科蔷薇属	落叶灌木
34	山杏 *Prunus sibirica* L.	蔷薇科李属	落叶灌木
35	水栒子 *Cotoneaster multiflorus* Bunge	蔷薇科栒子属	落叶灌木
36	太平花 *Philadelphus pekinensis* Rupr.	绣球科山梅花属	落叶灌木
37	天目琼花 *Viburnum opulus* subsp. *calvescens*（Rehder）Sugim.	荚蒾科荚蒾属	落叶灌木
38	贴梗海棠 *Chaenomeles speciosa*（Sweet）Nakai	蔷薇科木瓜海棠属	落叶灌木
39	猬实 *Kolkwitzia amabilis* Graebn.	忍冬科猬实属	落叶灌木
40	香茶藨子 *Ribes odoratum* Wendl.	茶藨子科茶藨子属	落叶灌木
41	小花溲疏 *Deutzia parviflora* Bunge	绣球科溲疏属	落叶灌木
42	小叶黄杨 *Buxus sinica* var. *parvifolia* M.Cheng	黄杨科黄杨属	常绿灌木
43	绣线菊 *Spiraea salicifolia* L.	蔷薇科绣线菊属	落叶灌木
44	迎春花 *Jasminum nudiflorum* Lindl.	木樨科素馨属	落叶灌木
45	郁李 *Prunus japonica* Thunb.	蔷薇科李属	落叶灌木
46	圆锥绣球 *Hydrangea paniculata* Siebold	绣球科绣球属	落叶灌木或小乔木
47	月季花 *Rosa chinensis* Jacq.	蔷薇科蔷薇属	半常绿灌木
48	珍珠梅 *Sorbaria sorbifolia*（L.）A. Braun	蔷薇科珍珠梅属	落叶灌木
49	紫荆 *Cercis chinensis* Bunge	豆科紫荆属	落叶灌木
50	紫薇 *Lagerstroemia indica* L.	千屈菜科紫薇属	落叶灌木 或小乔木
51	紫叶矮樱 *Prunus* × *cistena* N.E.Hansen ex Koehne	蔷薇科李属	落叶灌木或小乔木
52	紫叶风箱果 *Physocarpus opulifolius* ‘*Purpurea*’	蔷薇科风箱果属	落叶灌木

续表

序号	拉丁名	科属	类型
53	紫叶小檗 *Berberis thunbergii ‘Atropurpurea’*	小檗科小檗属	落叶灌木
54	紫珠 *Callicarpa bodinieri* H.Lév.	唇形科紫珠属	落叶灌木
55	金叶接骨木 *Sambucus canadensis ‘Aurea’*	荚蒾科接骨木属	落叶灌木
56	绚丽海棠 *Malus ‘Radiant’*	蔷薇科苹果属	落叶灌木或小乔木

表 2-3　藤本植物材料基本情况表

序号	拉丁名	科属	类型
1	扶芳藤 *Euonymus fortunei*（Turcz.）Hand.-Mazz.	卫矛科卫矛属	常绿藤本
2	凌霄 *Campsis grandiflora*（Thunb.）Schum.	紫葳科凌霄属	落叶藤本
3	厚萼凌霄（美国凌霄）*Campsis radicans*（L.）Seem.	紫葳科凌霄属	落叶藤本
4	藤本月季 *Rosa*（*Climbers Group*）	蔷薇科蔷薇属	落叶藤本
5	五叶地锦 *Parthenocissus quinquefolia*（L.）Planch.	葡萄科地锦属	落叶藤本
6	紫藤 *Wisteria sinensis*（Sims）DC.	豆科紫藤属	落叶藤本

表 2-4　草本植物材料基本情况

序号	拉丁名	科属	类型
1	长药八宝（八宝景天）*Hylotelephium spectabile*（Boreau）H. Ohba	景天科八宝属	多年生肉质草本
2	车前 *Plantago asiatica* L.	车前科车前属	二年生或多年生草本
3	垂盆草 *Sedum sarmentosum* Bunge	景天科景天属	多年生肉质草本
4	大花秋葵 *Hibiscus grandiflorus* Salisb.	锦葵科木槿属	多年生草本
5	大叶铁线莲 *Clematis heracleifolia* DC.	毛茛科铁线莲属	多年生草本
6	电灯花 *Cobaea scandens* Cav.	花荵科电灯花属	多年生草本
7	肥皂草 *Saponaria officinalis* L.	石竹科肥皂草属	多年生宿根草本
8	费菜 *Phedimus aizoon*（L.）'t Hart	景天科费菜属	多年生草本
9	拂子茅 *Calamagrostis epigeios*（L.）Roth	禾本科拂子茅属	多年生草本
10	高山紫菀 *Aster alpinus* L.	菊科紫菀属	多年生草本
11	藁本 *Conioselinum anthriscoides*（H.Boissieu）Pimenov & Kljuykov	伞形科山芎属	多年生草本
12	联毛紫菀（荷兰菊）*Symphyotrichum novi-belgii*（L.）G.L. Nesom	菊科联毛紫菀属	多年生草本
13	黑心菊 *Rudbeckia hirta* L.	菊科金光菊属	一年生或二年生草本
14	黄花鸢尾 *Iris wilsonii* C. H. Wright	鸢尾科鸢尾属	多年生草本
15	黄芩 *Scutellaria baicalensis* Georgi	唇形科黄芩属	多年生草本
16	藿香 *Agastache rugosa*（Fisch. & C.A. Mey.）Kuntze	唇形科藿香属	多年生草本
17	芨芨草 *Neotrinia splendens*（Trin. ）M.Nobis，P.D.Gudkova & A. Nowak	禾本科芨芨草属	多年生草本
18	假龙头花 *Physostegia virginiana*（L.）Benth.	唇形科假龙头花属	多年生宿根草本

续表

序号	拉丁名	科属	类型
19	柄状薹草（脚苔草）*Carex pediformis* C.A.Mey.	莎草科薹草属	多年生草本
20	金边玉簪 *Hosta* 'Green Gold'	天门冬科玉簪属	多年生宿根草本
21	荆芥 *Nepeta cataria* L.	唇形科荆芥属	多年生草本
22	桔梗 *Platycodon grandiflorus*（Jacq.）A.DC.	桔梗科桔梗属	多年生草本
23	阔叶风铃草 *Campanula latifolia* L.	桔梗科风铃草属	多年生草本
24	狼尾草 *Pennisetum alopecuroides*（L.）Spreng.	禾本科狼尾草属	多年生草本
25	涝峪薹草 *Carex giraldiana* Kük.	莎草科薹草属	多年生草本
26	活血丹（连钱草）*Glechoma longituba*（Nakai）Kupr.	唇形科活血丹属	多年生草本
27	马蔺 *Iris lactea* Pall.	鸢尾科鸢尾属	多年生草本
28	美国薄荷 *Monarda didyma* L.	唇形科美国薄荷属	一年生草本
29	婆婆纳 *Veronica polita* Fries	车前科婆婆纳属	多年生草本
30	匍枝委陵菜 *Potentilla flagellaris* D.F.K. Schltdl.	蔷薇科委陵菜属	多年生匍匐草本
31	青绿薹草 *Carex breviculmis* R.Br.	莎草科薹草属	多年生草本
32	瞿麦 *Dianthus superbus* L.	石竹科石竹属	多年生草本
33	赛菊芋 *Heliopsis helianthoides*（L.）Sweet	菊科赛菊芋属	多年生草本
34	山韭 *Allium senescens* L.	石蒜科葱属	多年生草本
35	蛇鞭菊 *Liatris spicata*（L.）Willd.	菊科蛇鞭菊属	多年生草本
36	蛇莓 *Duchesnea indica*（Andrews）Focke	蔷薇科蛇莓属	多年生草本
37	射干 *Belamcanda chinensis*（L.）Redouté	鸢尾科射干属	多年生草本
38	高山蓍（蓍草）*Achillea alpina* L.	菊科蓍属	多年生草本
39	蜀葵 *Alcea rosea* L.	锦葵科蜀葵属	二年生草本
40	鼠尾草 *Salvia japonica* Thunb.	唇形科鼠尾草属	一年生草本
41	松果菊 *Echinacea purpurea*（L.）Moench	菊科松果菊属	多年生草本
42	天人菊 *Gaillardia pulchella* Foug.	菊科天人菊属	一年生草本
43	天蓝绣球（宿根福禄考）*Phlox paniculata* L.	花荵科福禄考属	多年生草本
44	丝带草（玉带草）*Phalaris arundinacea* var. *picta* L.	禾本科虉草属	多年生草本

2.2 耐涝性试验设计与处理

2.2.1 试验处理

研究地点位于北京市朝阳区北京市园林绿化科学研究院试验地（N39° 58′ 30″ E116° 27′ 47″），北京市属于温带季风气候，夏季高温多雨，冬季寒冷干燥。试验于 2017 ～ 2021 年分批开展，采用随机区组试验。每年 3 ～ 4 月购买苗木上盆，栽培基质为园土与草炭按 4∶1 比例混合。对苗木进行为期 3 个月以上的养护之后，从每种植物中选择 20 盆生长较好、规格一致的盆栽苗进行淹水实验。设置淹水时间为 5 天、10 天、15 天的淹水处理以及对照组，每个试验组设置 5 盆盆栽苗。针对对照组，在试验期间正常浇水，确保植株生长健壮。淹水试验池为长 10m、宽 3m、高 30cm 的钢架，钢架底部铺设方砖和细沙，保证底部平整。钢架内部铺设防水布，防水布内注水。淹水试验于 7 ～ 8 月高温高湿多雨季节进行。淹水前剪除黄叶枯枝，淹水深度为高出基质表面 10cm。试验结束后，所有植物进行常规养护。停止淹水一个月后，观测木本植物和草本植物恢复成活率及观赏效果恢复情况。第二年春季，观测木本植物越冬后植物的成活率和观赏效果，以判断涝害胁迫是否影响木本植物的耐寒性。

2.2.2　耐涝性指标测定

在各淹水处理结束当天对植株进行叶片性状、叶片光合气体交换及叶绿素荧光参数的测定。在淹水结束、恢复一个月后以及越冬后进行植物形态评分。

2.2.2.1　叶片性状参数的测定

叶片含水率的测定：选取植株中部有代表性的成熟展开叶片，采集后装入保鲜袋带回室内，立即用精度为 0.001 g 的天平称得叶片鲜重 W_1，用 LI-3000C 叶面积仪测定叶面积；测定结束后将叶片放入信封中，置于 105℃烘箱中杀青 20min，转至 80℃烘干到恒重，称得叶片干重 W_2。对每种植物的每个处理组重复测定 3 次。根据测定的干鲜重、叶片面积计算叶片含水率、比叶重（LMA）、叶片干鲜比、比叶面积。

$$叶片含水率（\%）=（W_1-W_2）/W_1$$

$$比叶重（g·m^{-2}）= 叶片干重（g）/ 叶片面积（m^2）$$

$$叶片干鲜比 =W_2/W_1$$

$$比叶面积 = 叶片面积（m^2）/ 叶片干重（g）$$

2.2.2.2　叶片叶绿素荧光参数的测定

利用 Handy PEA 便携式荧光仪测定植物叶片的叶绿素荧光 RC/ABS、$F_v/F_m=（F_m-F_o）/F_m$ 和 PI 等参数。测定前先将暗适应叶夹夹在选择的叶片上，避开主叶脉，待 20 min 暗适应后进行测定。在每种植物的各处理组中选择 3 株，在每株植物中选择 3 片叶片进行测定。

叶绿素荧光相关参数的意义：F_v/F_m 为 PSII 的最大光化学效率；F_o 为暗适应 20 min 的最小荧光产率，是初始荧光，也称基础荧光，是光系统Ⅱ（PSII）反应中心完全开放时的荧光产量，F_o 增加说明光反应中心产生损伤减少，天线的热耗散增加；F_m 为暗适应 20min 后饱和脉冲测量的最大荧光产率，是

PSII 反应中心完全关闭时的荧光产量，反应 PSII 的电子传递情况，F_m 降低表明植物电子传递效率降低，植物产生了光抑制，光合作用减弱；RC/ABS 为单位反应中心吸收的光能；PI 为潜在光能转化和利用能力。

2.2.2.3 形态评分

在淹水结束及恢复一个月后观察每株植物的叶色变化、叶卷曲程度、落叶情况等，根据植物整体生长情况及叶片形态变化给受试材料打分，打分标准见表 2-5。

表 2-5 形态评分赋值及对应植物形态

观赏效果分值	植物外观形态
5 分	生长正常，观赏效果极佳
4 分	生长正常，观赏效果较好，有少量黄叶、落叶
3 分	黄叶、落叶达植株的一半以上，生长状况一般
2 分	观赏效果较差，仅存部分枝叶正常生长
1 分	存活，但基本丧失观赏价值
0 分	死亡

2.2.3 数据处理

运用 Excel 和 SPSS 24.0 进行试验数据处理，对试验结果进行单因素方差分析，利用 Duncan 法进行多重比较（$\alpha = 0.05$），图表中数据为平均值 ± 标准差。采用 Origin 2019 进行绘图。

2.2.4 评价体系的建立

木本植物耐涝能力评价建立在叶绿素光合荧光潜能、叶片 SPAD 值、叶片含水率、比叶面积、健康叶片留存率、后期恢复生长成活率和观赏效果，以及越冬后成活率和观赏效果的基础上。每个指标赋值如下：RC/ABS（5 分）、F_v/F_m（10 分）、PI（5 分）、叶片 SPAD 值（10 分）、叶片含水率（10 分）、比叶面积（10 分）、淹水处理结束时健康叶片留存率（10 分）、恢复生长后成活率（10 分）、恢复生长后观赏效果（10 分）、越冬后成活率（10 分）、越冬后观赏效果（10 分）。

阔叶木本植物 每个实验处理总分 100 分，共有淹水 5 天、10 天、15 天三个处理，满分共计 300 分。

每个指标得分 = 处理测量值 / 对照测量值 × 赋值（注：每项最高得分不

超过赋值）

总得分为三个处理各项指标得分的总和。

综合评分 = 总得分 /300×100（百分制）

常绿针叶树 根据后四项指标判断耐涝能力 综合评分 = 总得分 /120×100

草本植物 根据淹水处理结束正常养护一个月后的植株成活率和恢复观赏效果判断耐涝能力。评价得分 = 总得分 /60×100

根据植物的耐淹水能力综合评分，将其耐涝性分级如下：

极强 >90，80< 强≤ 90，70< 中≤ 80，60< 差≤ 70，极差≤ 60。

第3章

落叶乔木耐涝性评价

3.1 榆树

3.1.1 叶片干鲜比、含水率、比叶重及比叶面积变化

不同淹水处理时间的榆树叶片的干鲜比、含水率、比叶重及比叶面积与对照组相近（图 3-1），这表明淹水对榆树叶片的含水率及有机物含量影响不大。

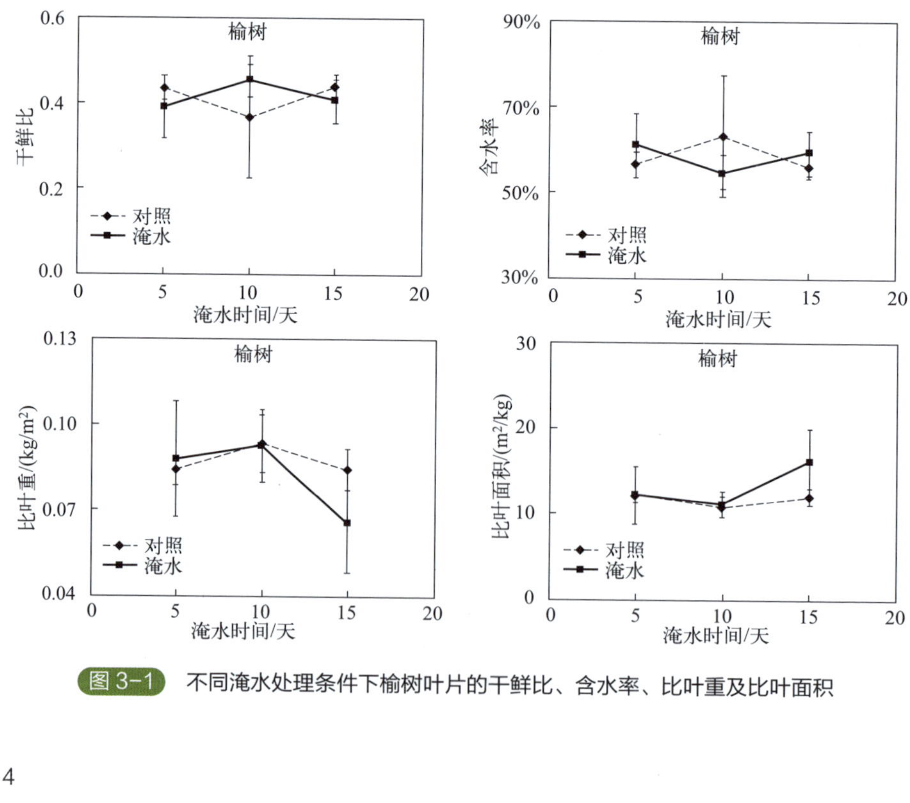

图 3-1 不同淹水处理条件下榆树叶片的干鲜比、含水率、比叶重及比叶面积

3.1.2 叶片叶绿素含量变化

在淹水处理期间，榆树的SPAD值与对照组相近。淹水10天和15天处理组均略低于对照组（图3-2），表明淹水处理后期，榆树叶片受到胁迫较明显，叶绿素含量有所下降。

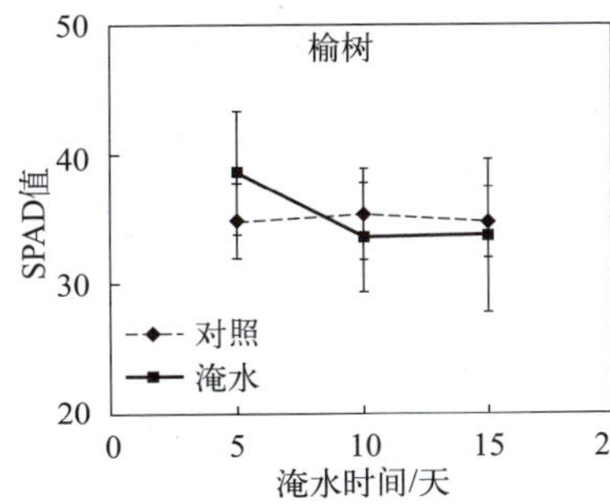

图3-2 不同淹水处理条件下榆树叶片的SPAD值

3.1.3 叶片光合荧光潜能指数变化

淹水处理组榆树的光合荧光潜能指数与对照组相近。最敏感指数PI，淹水10天和15天处理组均略低于对照组（图3-3），表明淹水后期，叶片光合作用有所下降。

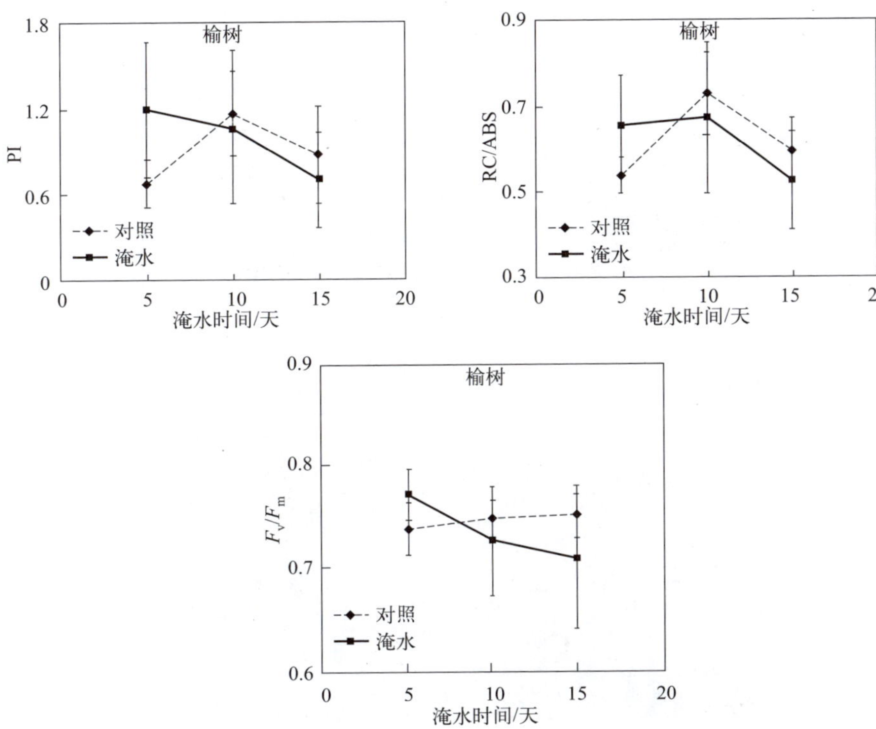

图3-3 不同淹水处理条件下榆树叶片的光合荧光潜能指数

3.1.4 地上部形态观测

榆树淹水 5 天后，枝干挺拔，部分植株中下部有少量叶片变黄，未出现叶片脱落和病虫害现象，枝端有新叶萌出，观赏效果好；淹水 10 天后，植株茎干挺拔，中下部部分叶片变黄，未出现叶片脱落和虫害现象，观赏效果较好；淹水 15 天，大部分植株中下部叶片变黄，枝端有新叶萌生，观赏效果好（图 3-4）。这表明淹水对榆树的影响主要表现为叶片变黄，对榆树整体形态影响不大。

对照组

淹水5天

淹水10天

淹水15天

淹水15天，中下部叶片变色

淹水15天，枝端萌生新叶

图 3-4 不同淹水处理条件下榆树地上部形态变化

3.1.5 淹水结束时根系形态观测

对照组根系有光泽，老根呈棕褐色，新根牙白色，与对照组相比，淹水 5 天和 10 天的榆树根系完整，呈棕褐色，淹水 15 天的榆树根系呈灰白色（图 3-5），表明随胁迫时间的增加，淹水对榆树根系的影响逐渐增大。

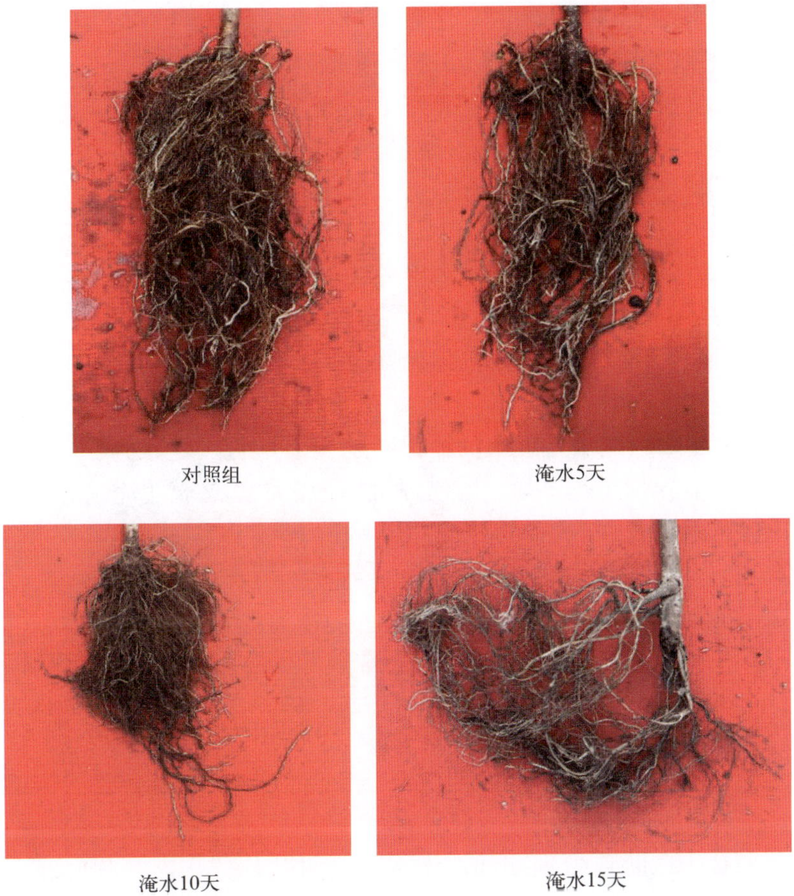

图 3-5 不同淹水处理条件下榆树根系形态变化

3.1.6 恢复养护后形态观测

恢复养护一个月后，对照组与淹水组植株中下部叶片均发生变黄现象，但差异不明显，植株形态完整，生长势较强（图 3-6）。

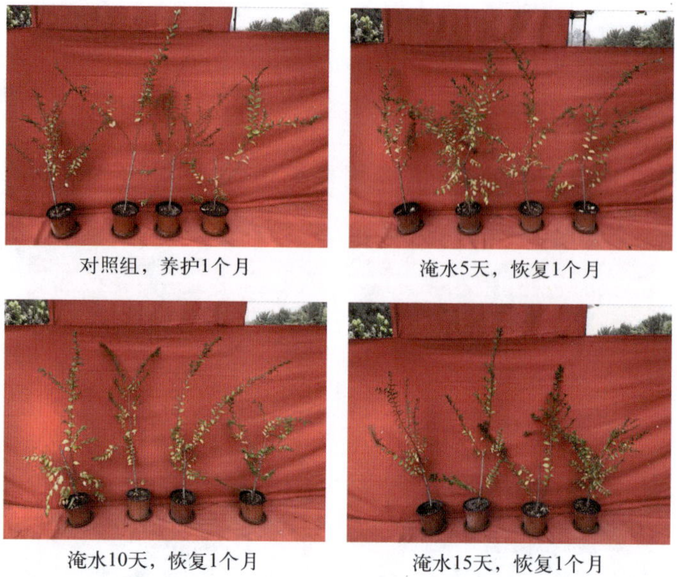

对照组，养护1个月　　淹水5天，恢复1个月

淹水10天，恢复1个月　　淹水15天，恢复1个月

图 3-6　不同淹水处理的榆树恢复生长一个月后地上部形态变化

由表 3-1 可知，淹水处理组的榆树通过一个月的恢复养护后，耐涝能力评价为极强；恢复养护至越冬后，耐涝评价仍为极强。这表明淹水处理对榆树影响不大，榆树具有较强的恢复能力。

表 3-1　榆树恢复养护后不同淹水处理组成活率、观赏效果及耐涝能力评价

恢复养护	淹水 5 天		淹水 10 天		淹水 15 天		耐涝能力评价
	成活率	观赏效果	成活率	观赏效果	成活率	观赏效果	
一个月	100%	5	100%	5	100%	5	极强
越冬后	100%	5	100%	5	100%	5	

综合来看，在胁迫处理期间，淹水使榆树叶片黄化，叶片叶绿素含量降低，叶片光合作用降低；黄化叶片随淹水时间的增加而逐渐增多；淹水少于 10 天对榆树根系影响不大，淹水 15 天对榆树根系有一定影响；恢复养护后，各处理组均能恢复生长，且观赏性良好；越冬后，各处理组均能正常生长，且观赏性良好。

研究表明淹水对榆树有一定影响，会使其叶片黄化，降低叶绿素含量和光合作用，但榆树具有较强的恢复能力，恢复养护后各处理组植株均能恢复正常生长，并且越冬后可以正常生长。榆树综合评分为 93.3 分，耐涝能力极强。

3.2 西府海棠

3.2.1 叶片干鲜比、含水率、比叶重及比叶面积变化

在淹水处理期间，西府海棠的叶片含水率随淹水时间的增加呈现下降趋势，干鲜比则反之（图 3-7），表明淹水对西府海棠叶片含水率有影响。比叶重呈现随淹水时间增加而增加的趋势，比叶面积则反之。

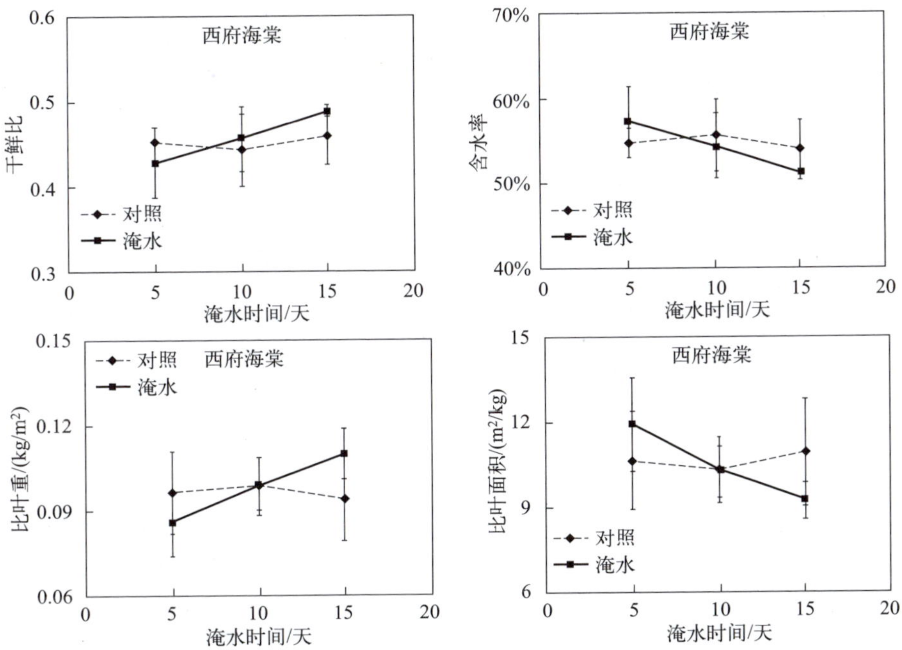

图 3-7 不同淹水处理条件下西府海棠叶片的干鲜比、含水率、比叶重及比叶面积

3.2.2 叶片叶绿素含量变化

在淹水处理期间，淹水组西府海棠的 SPAD 值均低于对照组（图 3-8），表明淹水使植物受到胁迫，叶片叶绿素含量降低。

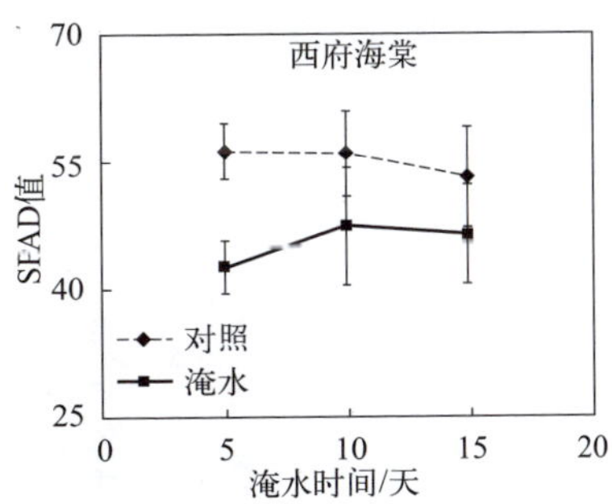

图 3-8 不同淹水处理条件下西府海棠叶片的 SPAD 值

3.2.3 叶片光合荧光潜能指数变化

在胁迫处理期间，淹水处理组西府海棠的多数光合荧光潜能指数低于对照组，特别是最敏感指数 PI，淹水组均低于对照组（图 3-9），表明淹水会降低

西府海棠的光合作用。

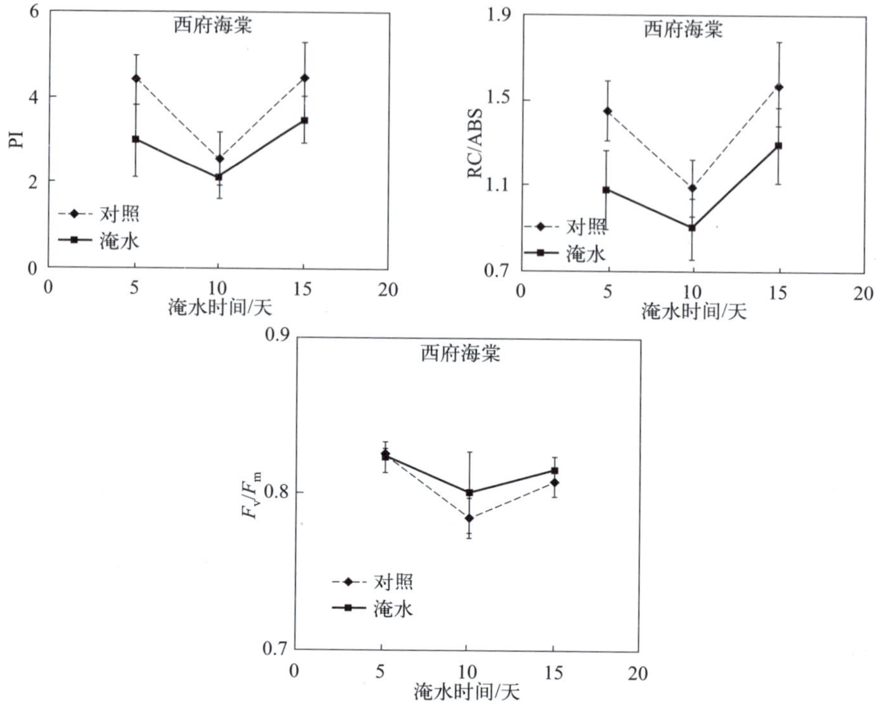

图 3-9 不同淹水处理条件下西府海棠叶片的光合荧光潜能指数

3.2.4 试验结束地上部形态观测

淹水组植株与对照组长势相似，淹水组西府海棠叶色翠绿，未出现叶片脱落现象，地上部分生长势正常，淹水 15 天的植株正常萌生新叶，观赏效果好（图 3-10）。

对照组　　淹水5天

图 3-10 不同淹水处理条件下西府海棠地上部形态变化

3.2.5 淹水结束时根系形态观测

对照组根系的老根呈棕褐色，新根牙白色。与对照组相比，淹水 5 天的西府海棠根系完整，呈棕褐色；淹水 10 天的西府海棠老根呈黑色，新根呈灰白色；淹水 15 天的西府海棠根系呈现灰白色（图 3-11）。这表明淹水对根系的影响随淹水时间的增加而逐渐显著。

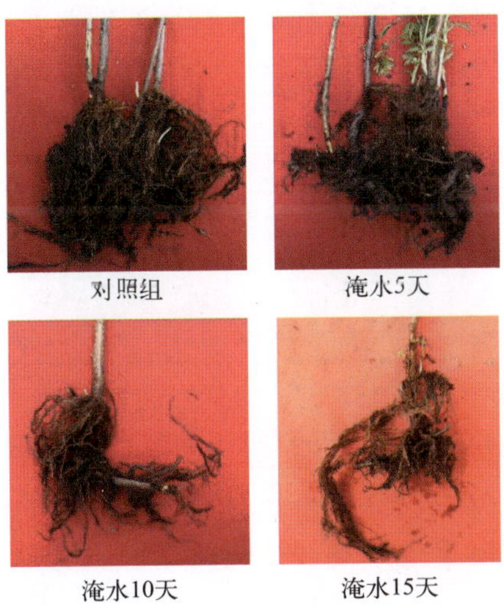

图 3-11 不同淹水处理条件下西府海棠根系形态变化

3.2.6 恢复养护后形态观测

各淹水处理组植株恢复养护一个月后，株型丰满，叶色翠绿，生长势正常（图 3-12）。

对照组，养护1个月　　淹水5天，恢复1个月

淹水10天，恢复1个月　　淹水15天，恢复1个月

图 3-12　不同淹水处理的西府海棠恢复生长一个月后地上部形态变化

由表 3-2 可知，不同淹水时长处理条件下西府海棠，通过一个月的恢复养护后，成活率均为 100%，且生长旺盛，长势正常。越冬后，西府海棠的成活率仍为 100%，观赏效果良好。结果表明淹水处理对西府海棠影响不大，西府海棠具有较强的恢复能力。

表 3-2　西府海棠恢复养护后不同淹水处理组成活率、观赏效果及耐涝能力评价

恢复养护	淹水 5 天		淹水 10 天		淹水 15 天		耐涝能力评价
	成活率	观赏效果	成活率	观赏效果	成活率	观赏效果	
一个月	100%	5	100%	5	100%	5	极强
越冬后	100%	5	100%	5	100%	5	

综合来看，在淹水处理期间，淹水处理使西府海棠叶片含水率、叶绿素含量、光合作用降低，比叶重增高；淹水对其地上形态影响不大；而地下根系随淹水时间的增加，受损程度逐渐增加；脱离淹水环境后，各处理组植株均能快速恢复生长，且观赏性良好；越冬后，各处理组植株均能正常生长，且观赏性良好。西府海棠综合得分 95.78 分，耐涝能力极强。

3.3 白蜡树

3.3.1 叶片干鲜比、含水率、比叶重及比叶面积变化

不同淹水处理时间的白蜡树叶片干鲜比、含水率与对照组相比，相差不大（图 3-13）。随淹水时间的延长，白蜡树比叶重呈现下降趋势，比叶面积呈现增加趋势。

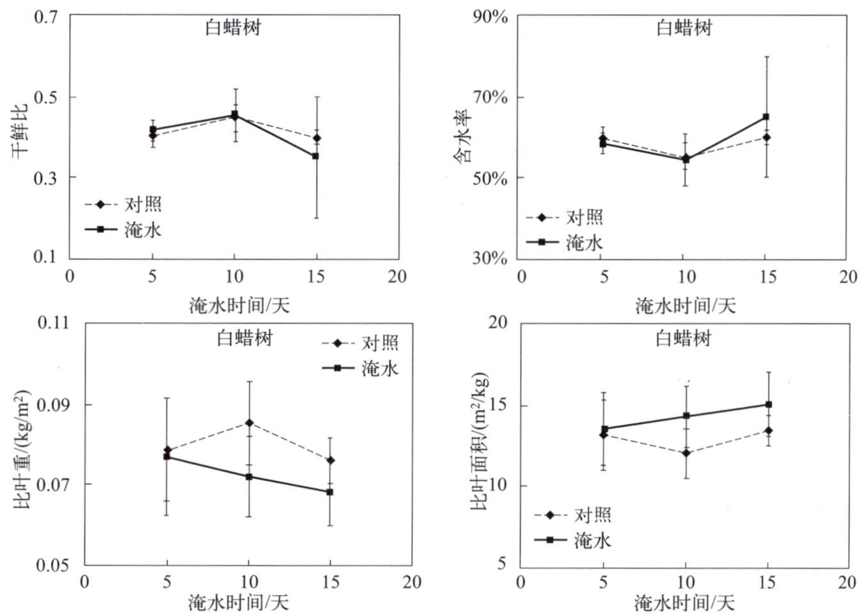

图 3-13 不同淹水处理条件下白蜡树叶片的干鲜比、含水率、比叶重及比叶面积

3.3.2 叶片叶绿素含量变化

在淹水处理期间，白蜡树叶片的 SPAD 值基本保持稳定，不同淹水处理组的叶片 SPAD 值均低于对照组，淹水 15 天时，白蜡树叶片 SPAD 值下降明显（图 3-14），表明淹水情况下，白蜡树叶片的叶绿素含量降低。

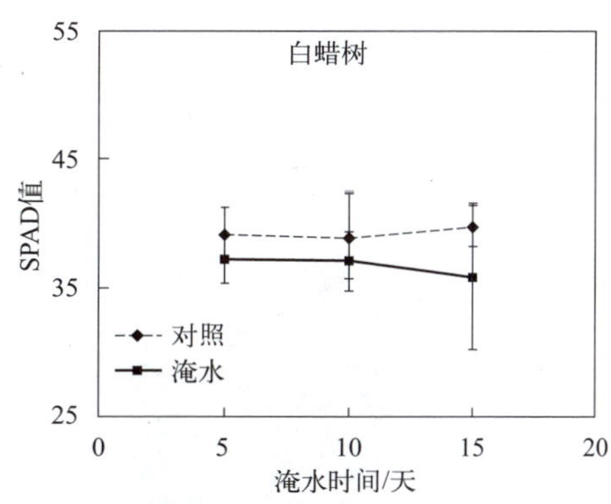

图 3-14 不同淹水处理条件下白蜡树叶片的 SPAD 值

3.3.3 叶片光合荧光潜能指数变化

在淹水处理期间，不同淹水处理时间的白蜡树光合荧光潜能指数与对照组相比差距不大（图 3-15），表明淹水 15 天不足以影响白蜡树叶片的光系统Ⅱ。

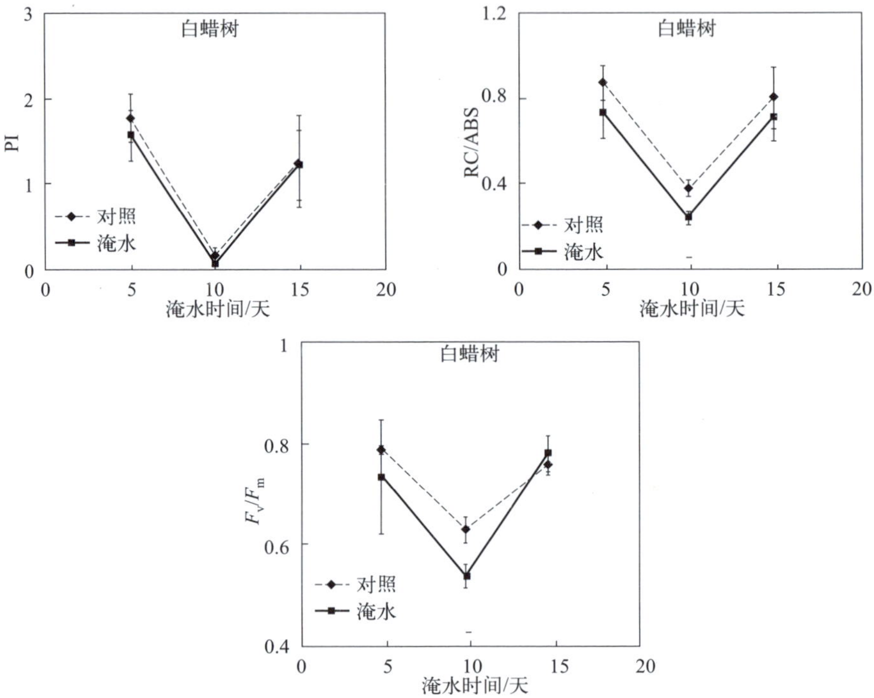

图 3-15 不同淹水处理条件下白蜡树叶片的光合荧光潜能指数

3.3.4 淹水结束时地上部形态观测

白蜡树在淹水 5 天、10 天和 15 天处理条件下，均枝干挺拔，少有叶片变色，未出现叶片脱落现象，观赏效果好，地上部分生长势正常（图 3-16）。

对照组

淹水5天

淹水10天　　淹水15天

图 3-16 不同淹水处理条件下白蜡树地上部形态变化

3.3.5 淹水结束时根系形态观测

未淹水对照组白蜡树的老根呈棕褐色，新根牙呈白色。淹水 5 天的白蜡树根系完整，呈棕褐色；淹水 10 天的白蜡树老根呈黑色，新根呈灰白色；淹水 15 天的白蜡树根系呈现灰白色（图 3-17），这表明淹水对根系的影响随淹水时间的增加而加剧。

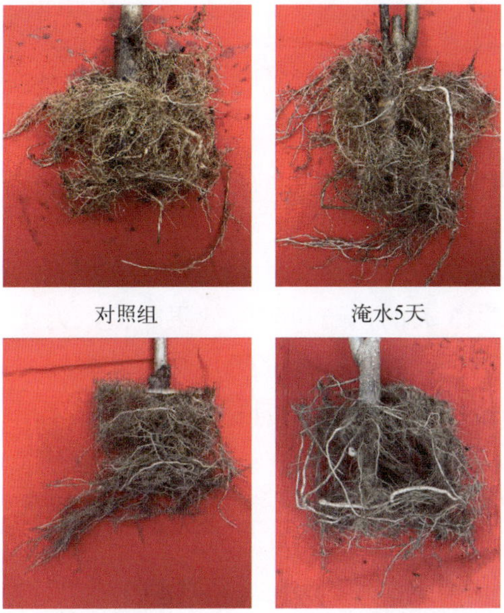

对照组　　淹水5天

淹水10天　　淹水15天

图 3-17 不同淹水处理条件下白蜡树根系形态变化

3.3.6 恢复养护后形态观测

各淹水处理组植株恢复养护一个月后，个别叶片出现轻微黄叶或病害情况，但植株株型完好，生长势均较为正常（图 3-18）。

对照组，养护1个月

淹水5天，恢复1个月

淹水10天，恢复1个月

淹水15天，恢复1个月

图 3-18 不同淹水处理的白蜡树恢复生长一个月后地上部形态变化

由表 3-3 可知，通过淹水处理的白蜡树经过一个月的恢复养护后，观赏效果均较好。淹水处理 15 天的白蜡树观赏效果略低，为 4 分。恢复养护至越冬后，各淹水处理组植株成活率均为 100%，观赏效果好。这表明淹水处理对白蜡树观赏性状影响不大，且白蜡树具有较强的恢复能力。

表 3-3 白蜡树恢复养护后不同淹水处理组成活率、观赏效果及耐涝能力评价

恢复养护	淹水 5 天		淹水 10 天		淹水 15 天		耐涝能力评价
	成活率	观赏效果	成活率	观赏效果	成活率	观赏效果	
一个月	100%	5	100%	5	100%	4	极强
越冬后	100%	5	100%	5	100%	5	

综合来看，在淹水处理期间，淹水对白蜡树叶片含水率影响不大；淹水使白蜡树叶片叶绿素含量降低；淹水对白蜡树地上形态影响不大；淹水影响白蜡树地下根系，随淹水时间的增加，根系受损的程度增加；恢复养护后，各处理组植株均能正常生长，但出现黄叶和病害，推测淹水使白蜡树抗病性减弱，淹水 15 天的白蜡树观赏性一般；越冬后，各处理组均能正常生长，且观赏性良好。白蜡树综合评分为 97.62 分，耐涝能力极强。

3.4 刺槐

3.4.1 叶片干鲜比、含水率、比叶重及比叶面积变化

不同淹水处理时间的刺槐叶片的干鲜比、含水率、比叶重及比叶面积与对照组相近；经淹水处理的刺槐叶片含水率略高于对照组，干鲜比反之；不同淹水处理时间的刺槐叶片比叶重及比叶面积与对照组相近（图 3-19）。

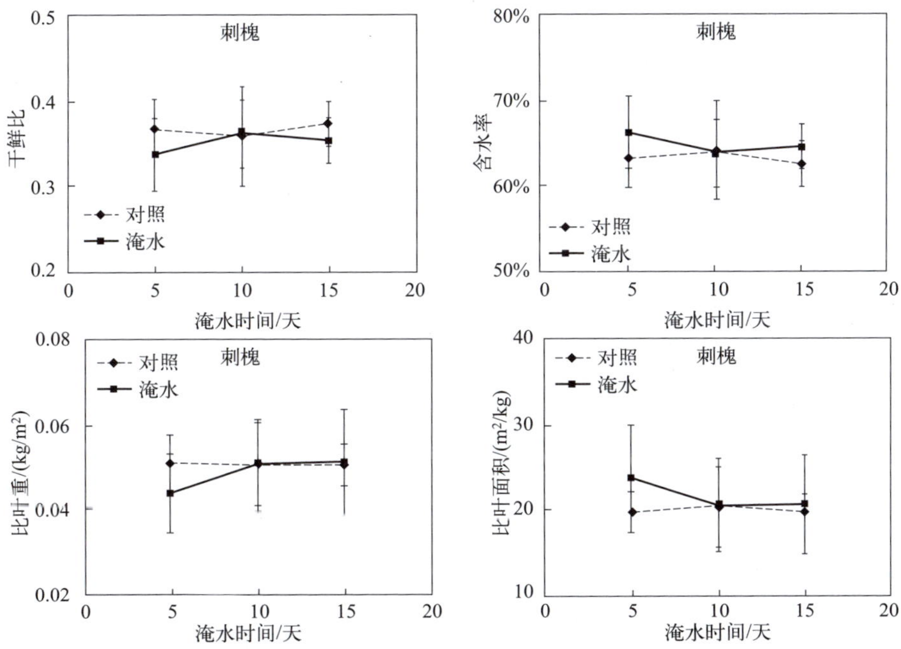

图 3-19 不同淹水处理条件下刺槐叶片的干鲜比、含水率、比叶重及比叶面积

3.4.2 叶片叶绿素含量变化

淹水组刺槐的 SPAD 值基本保持稳定（图 3-20），表明淹水对刺槐叶片 SPAD 值影响不大。

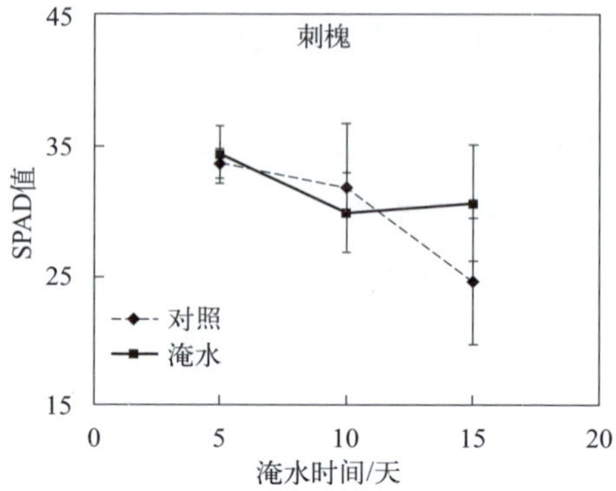

图 3-20 不同淹水处理条件下刺槐叶片的 SPAD 值

3.4.3 叶片光合荧光潜能指数变化

经淹水处理的刺槐叶片光合荧光潜能指数呈下降趋势（图 3-21），表明淹水处理对刺槐光合作用产生了显著影响。

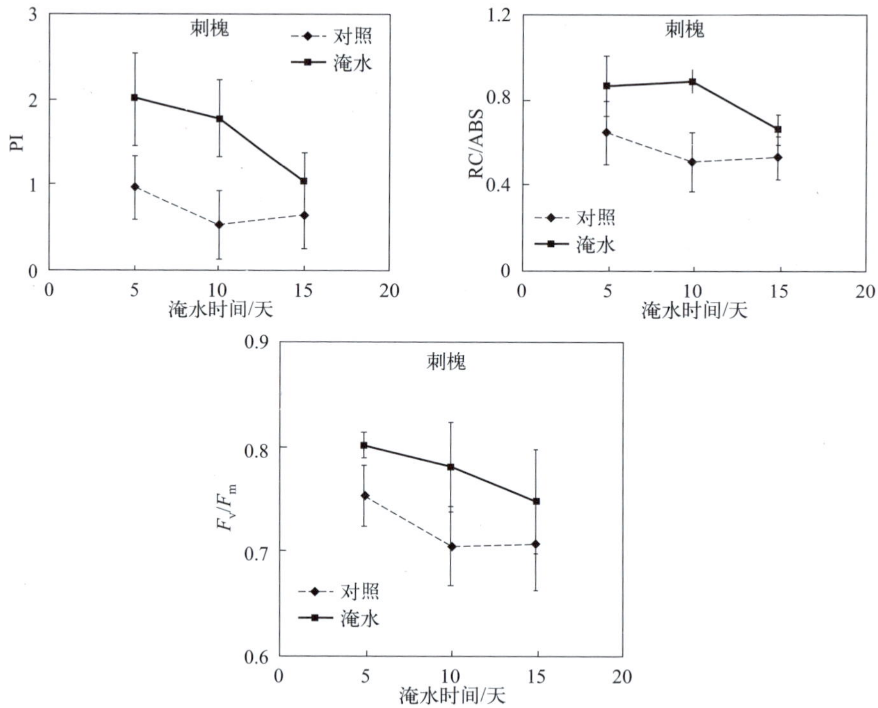

图 3-21 不同淹水处理条件下刺槐叶片的光合荧光潜能指数

3.4.4 淹水结束时形态观测

淹水 5 天后，刺槐枝干挺拔，中下部有少许叶片变黄，未出现叶片脱落和病虫害现象，观赏效果好；淹水 10 天后，植株茎干挺拔，部分叶片变黄，少量叶片脱落，观赏效果较好；淹水 15 天后，有近 1/3 的叶片变黄，少量落叶，观赏效果较好（图 3-22）。这表明淹水对刺槐的观赏性状有一定影响，主要表现为叶片变黄甚至落叶。

图 3-22 不同淹水处理条件下刺槐地上部形态变化

3.4.5 淹水结束时根系形态观测

对照组根系的老根呈棕褐色，新根牙白色；淹水 5 天与 10 天的刺槐根系完整，呈棕褐色；淹水 15 天的刺槐老根根系完整，呈棕黑色，新根灰白色。这表明，随淹水时间的增加，根系损伤加重（图 3-23）。

3.4.6 恢复养护后形态观测

不同淹水处理组植株恢复养护一个月后，所有植株的后期恢复均较好。除淹水处理过程中变黄的叶片脱落外，未出现明显受害现象，生长势较正常，淹水 5 天处理组植株有新生叶萌发（图 3-24）。

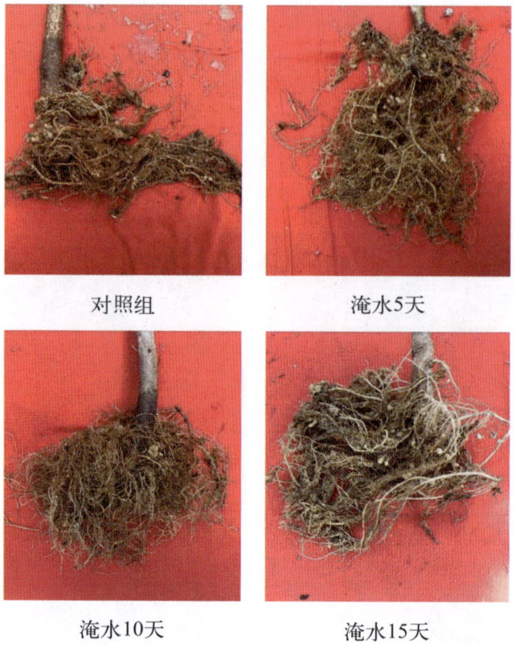

对照组　　淹水5天

淹水10天　　淹水15天

图 3-23　不同淹水处理条件下刺槐根系形态变化

对照组，养护1个月　　淹水5天，恢复1个月

淹水10天，恢复1个月　　淹水15天，恢复1个月

图 3-24　不同淹水处理的刺槐恢复生长一个月后地上部形态变化

由表 3-4 可知，不同淹水处理时间的刺槐经过一个月的恢复养护后，所有植株均成活，观赏性略有下降；恢复养护至越冬后，成活率略有下降，但观赏性得到一定的恢复。由此可知，淹水对刺槐的影响主要表现为观赏性下降，大部分植株可以越冬。

表 3-4 刺槐恢复养护后不同淹水处理组成活率、观赏效果及耐涝能力评价

恢复养护	淹水 5 天		淹水 10 天		淹水 15 天		耐涝能力评价
	成活率	观赏效果	成活率	观赏效果	成活率	观赏效果	
一个月	100%	4	100%	4	100%	3	强
越冬后	75%	4	100%	4	75%	4	

综合来看，刺槐在淹水情况下，叶片含水率增加，叶片叶绿素含量变化不大，光合作用略增强；淹水后刺槐地上部受害主要表现为叶片变黄，且随着淹水时间的增加，黄化叶片数量增加；地下根系变化情况与叶片相近，淹水时间越长，根系颜色越深；恢复养护一个月后，淹水组刺槐黄化叶片脱落，长势正常，越冬后，淹水 5 天、10 天和 15 天的刺槐成活率均在 75% 以上，观赏效果均为 4 分。恢复养护后，植株生长恢复正常；越冬后，大部分经淹水处理的植株可以正常生长，但观赏性不如对照组的植株。刺槐综合评分为 89.13，耐涝能力强。

3.5 元宝枫

3.5.1 叶片干鲜比、含水率、比叶重及比叶面积变化

不同淹水处理时间的元宝枫叶片的干鲜比、含水率、比叶重及比叶面积整体较为相近，含水率略高于对照组，干鲜比反之；经淹水处理的元宝枫比叶重及比叶面积与对照组接近（图 3-25）。

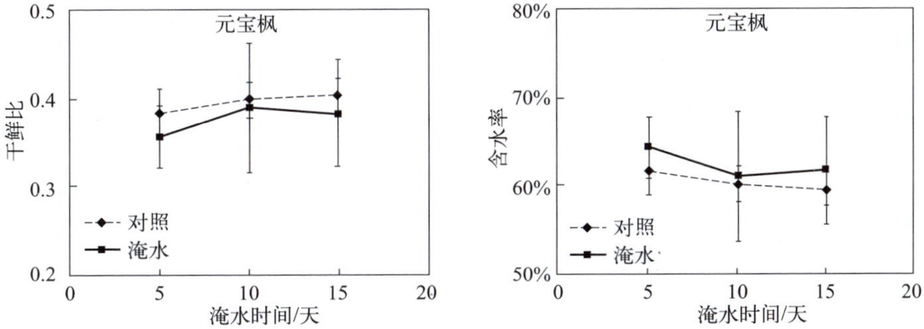

图 3-25

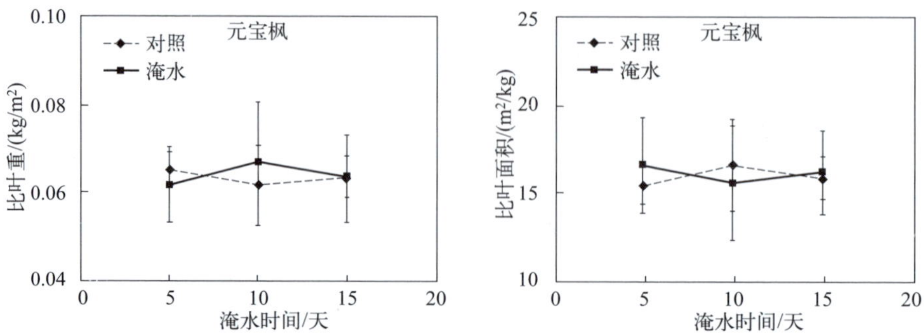

图 3-25 不同淹水处理条件下元宝枫叶片的干鲜比、含水率、比叶重及比叶面积

3.5.2 叶片叶绿素含量变化

淹水组元宝枫的 SPAD 值略低于对照组，且随着淹水时间的增加，差距逐渐增大（图 3-26），表明淹水使元宝枫受到胁迫，叶绿素含量逐渐降低。

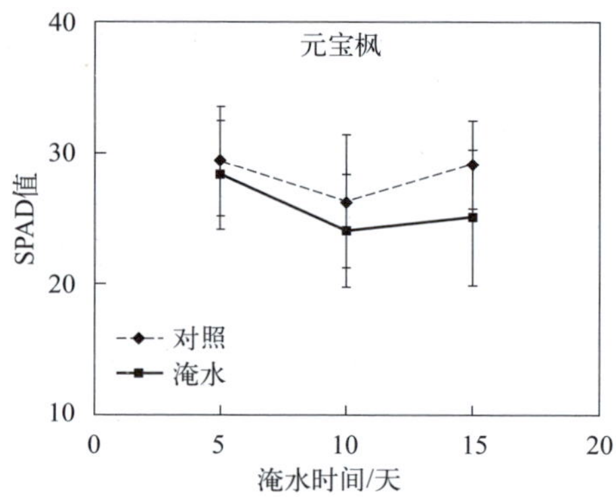

图 3-26 不同淹水处理条件下元宝枫叶片的 SPAD 值

3.5.3 叶片光合荧光潜能指数变化

在淹水处理期间，不同淹水处理时间的元宝枫光合荧光潜能指数与对照组相近（图 3-27），表明淹水情况对元宝枫光合作用的影响不大。

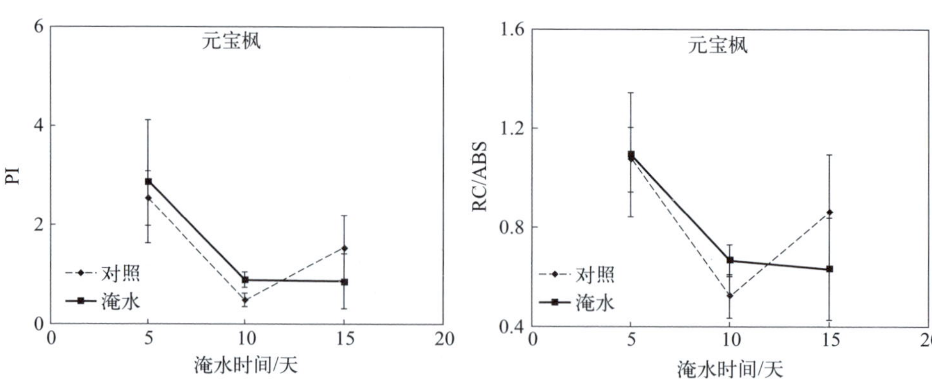

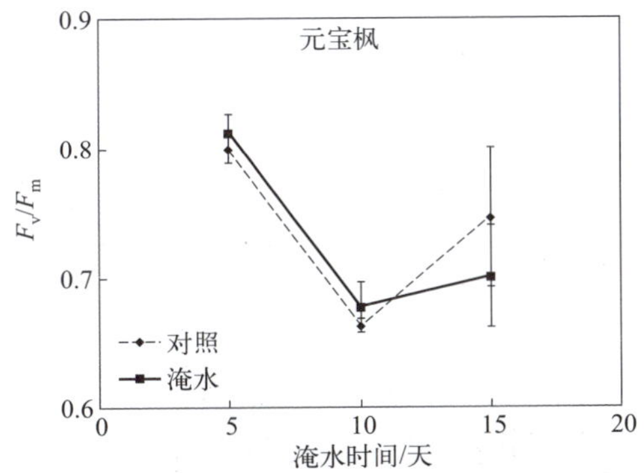

图 3-27 不同淹水处理条件下元宝枫叶片的光合荧光潜能指数

3.5.4 淹水结束时地上部形态观测

淹水 5 天后，元宝枫枝干挺拔，个别植株枝顶叶片变红，未出现叶片脱落和病虫害现象，观赏效果好；淹水 10 天后，植株茎干挺拔，部分枝顶叶片变黄，未出现叶片脱落和虫害现象，观赏效果好；淹水 15 天后，大部分植株枝顶少量叶片变黄或卷曲枯萎，未出现叶片脱落和虫害现象，观赏效果较好（图 3-28）。这表明淹水对元宝枫地上形态的影响主要表现为叶色变黄、变红。

图 3-28 不同淹水处理条件下元宝枫地上部形态变化

3.5.5 淹水结束时根系形态观测

对照组根系的老根呈棕褐色，新根牙白色；与对照组相比，淹水 5 天的元宝枫根系完整，呈棕褐色；淹水 10 天的元宝枫老根呈黑色，新根灰白色；淹水 15 天的元宝枫根系呈灰白色，这与地上部分叶片灰黄色相对应（图 3-29）。这表明随淹水时间的增加，根系损伤加重。

对照组

淹水5天

淹水10天

淹水15天

图 3-29 不同淹水处理条件下元宝枫根系形态变化

3.5.6 恢复养护后形态观测

恢复养护一个月后，淹水 5 天的植株后期恢复良好，叶色青绿，叶片无焦缘现象，生长势良好；淹水 10 天的植株后期恢复一般，部分植株叶片出现枯萎病症状；淹水 15 天的植株后期恢复效果不佳，大多植株萎蔫落叶，仅个别植株尚存老叶（图 3-30）。

由表 3-5 可知，淹水处理组元宝枫经过一个月的恢复养护后，淹水 5 天处理组植株和淹水 10 天处理组植株成活率均为 100%，观赏效果分别为 5 分和 4 分。而淹水 15 天处理组植株成活率仅为 20%，观赏效果为 2 分。这表明随着淹水时间的延长，元宝枫受害加剧。养护至越冬后，淹水 5 天和 10 天处理组植株成活率均为 100%，且观赏效果均较好，表明持续淹水 10 天对元宝枫的影响不大，仅使其观赏性略有下降。

对照组，养护1个月

淹水5天，恢复1个月

淹水10天，恢复1个月

淹水15天，恢复1个月

淹水10天后恢复叶部病害

淹水15天后恢复叶片变色

图 3-30 不同淹水处理的元宝枫恢复生长一个月后地上部形态变化

表 3-5 元宝枫恢复养护后不同淹水处理组成活率、观赏效果及耐涝能力评价

恢复养护	淹水 5 天		淹水 10 天		淹水 15 天		耐涝能力评价
	成活率	观赏效果	成活率	观赏效果	成活率	观赏效果	
一个月	100%	5	100%	4	20%	2	强
越冬后	100%	5	100%	4	25%	3	

综合来看，淹水对元宝枫有一定影响，淹水情况下，元宝枫叶片含水率略有升高，叶片叶绿素含量随淹水时间增加逐渐降低；淹水影响元宝枫地上形态，随淹水时间的增加，逐渐出现叶片变红、变黄、枯萎现象，但未见整体受害情况；淹水影响元宝枫地下根系，主要表现为随淹水时间的增加，新生根系逐渐受损，逐渐变灰。随着淹水时间的延长，元宝枫受到的影响逐渐增大。元宝枫综合评分为 87.64，耐涝能力强。

3.6 黄栌

3.6.1 叶片干鲜比、含水率、比叶重及比叶面积变化

在淹水处理期间，淹水组黄栌叶片的干鲜比、含水率与对照组接近；淹水组黄栌的叶片比叶重逐渐高于对照组，比叶面积反之（图 3-31）。

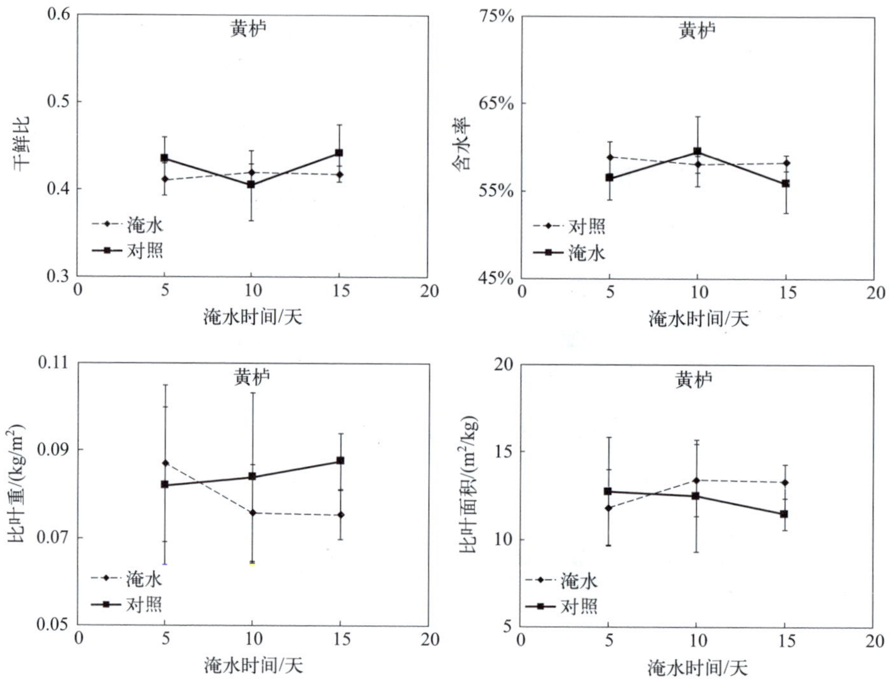

图 3-31　不同淹水处理条件下黄栌叶片的干鲜比、含水率、比叶重及比叶面积

3.6.2 叶片叶绿素含量变化

在淹水处理期间，淹水组黄栌的SPAD 值低于对照组（图 3-32），表明在淹水期间，黄栌叶片叶绿素含量降低。

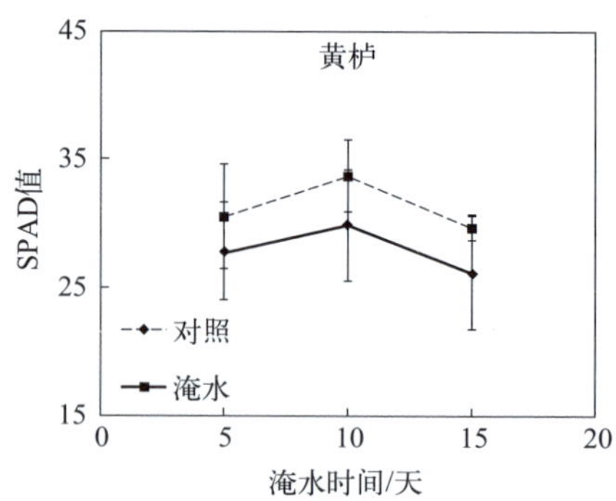

图 3-32　不同淹水处理条件下黄栌叶片的 SPAD 值

3.6.3 叶片光合荧光潜能指数变化

淹水处理组黄栌的光合荧光潜能指数均低于对照组（图 3-33），表明淹水影响黄栌的光合作用。

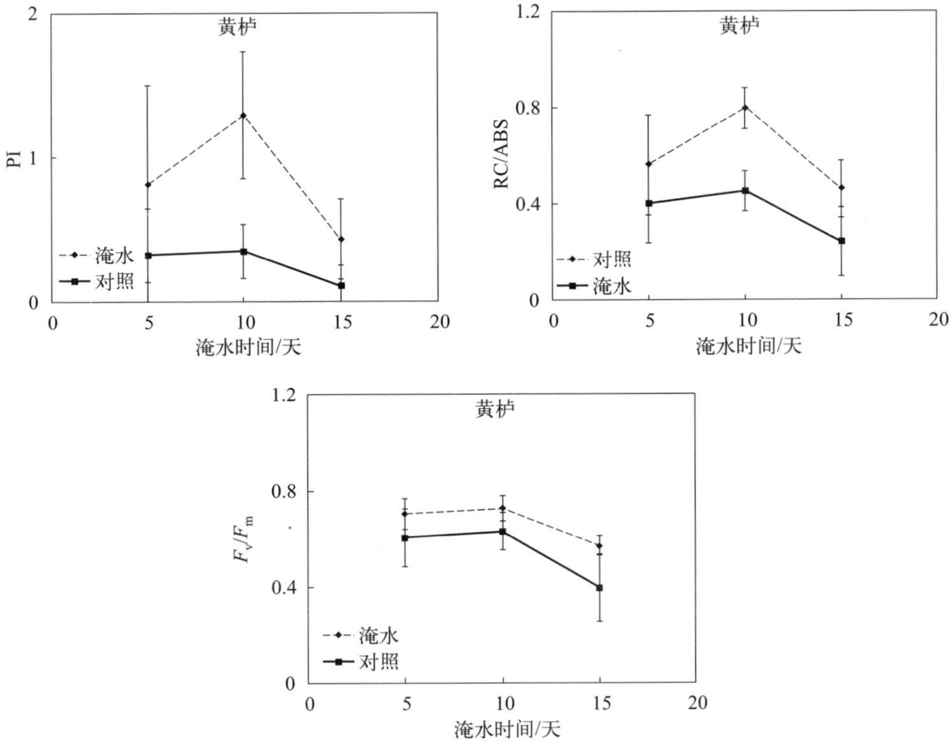

图 3-33 不同淹水处理条件下黄栌叶片的光合荧光潜能指数

3.6.4 淹水结束时地上部形态观测

淹水 5 天后，黄栌枝干挺拔，有少许叶片变黄，未出现叶片脱落和病虫害现象，地上部分生长势正常，观赏效果好；淹水 10 天后，植株茎干挺拔，部分茎尖及叶片萎蔫变褐，少量叶片变为红色或黄色，未出现叶片脱落和虫害现象，观赏效果较好（图 3-34）；淹水 15 天后，大部分植株叶片变为红色或黄色，少量落叶，具有独特观赏效果，如同秋天黄栌的形态。淹水对黄栌形态的影响主要是叶色变黄、变红。

3.6.5 淹水结束时根系形态观测

对照组根系有光泽，老根呈棕褐色，新根牙白色；淹水 5 天的黄栌根系完整，呈棕黑色；淹水 10 天的黄栌老根呈黑色，新根牙白色；淹水 15 天的黄栌根系无光泽，呈棕灰色，新根根尖部分外周皮脱落，露出白色髓心（图 3-35）。这表明淹水对黄栌的影响随淹水时间的增加而加重。

图 3-34 不同淹水处理条件下黄栌地上部形态变化

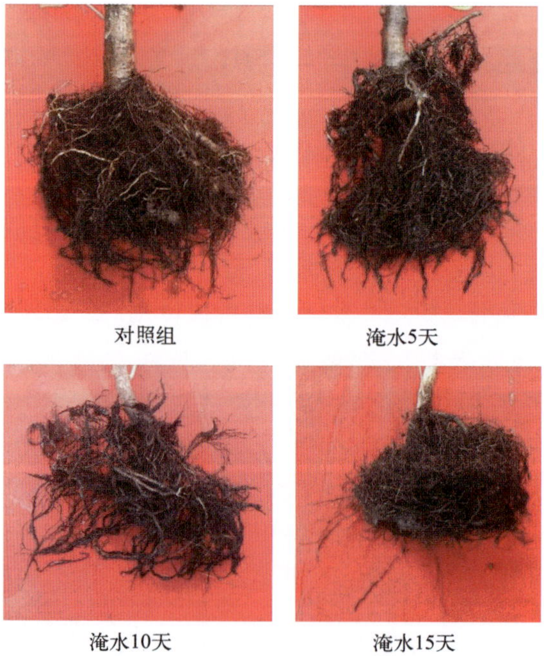

图 3-35 不同淹水处理条件下黄栌根系形态变化

3.6.6 恢复养护后形态观测

淹水组恢复养护一个月后，淹水 5 天的植株后期恢复效果一般，部分茎尖与老叶变成黄褐色，无新叶萌发，生长势正常；淹水 10 天的植株后期恢复效果较差，变色植株叶片枯萎或落叶，生长势很差或濒死；淹水 15 天的植株后期恢复效果最差，所有变色植株均发生叶片萎蔫（图 3-36）。

图 3-36 不同淹水处理的黄栌恢复生长一个月后地上部形态变化

由于淹水时长的不同，黄栌的恢复生长状况不同，如表 3-6 所示：淹水 5 天处理组植株恢复养护一个月后及越冬后，成活率均为 100%，观赏效果良好；淹水 10 天处理组植株恢复养护一个月后及越冬后，成活率均为 60%，观赏效果较好；淹水 15 天处理组植株恢复养护一个月后及至越冬后，成活率较低，观赏效果较差。结果表明，5 天和 10 天的淹水处理对黄栌的恢复生长以及越冬后的生长影响不是很大。

表 3-6 黄栌恢复养护后不同淹水处理组成活率、观赏效果及耐涝能力评价

恢复养护	淹水 5 天		淹水 10 天		淹水 15 天		耐涝能力评价
	成活率	观赏效果	成活率	观赏效果	成活率	观赏效果	
一个月	100%	5	60%	3	20%	2	中
越冬后	100%	5	60%	4	20%	4	

综合来看，淹水使黄栌叶片叶绿素含量降低，叶片光合作用降低，叶片有机物增加；随淹水时间的增加，黄栌的地上部分的叶片变黄、变红的情况加重，植株逐渐向秋天形态的黄栌转化，黄栌地下根系受到的伤害也逐渐明显。恢复养护后，恢复情况与淹水时间的长短呈反比，具体表现为恢复养护一个月及越冬后，淹水 5 天组植株的成活率为 100%，观赏性好，淹水 10 天组植株的成活率为 60%，观赏性较好，淹水 15 天组植株的成活率为 20%，观赏性不佳。黄栌综合得分为 77.18，耐涝能力为中。

3.7 玉兰

3.7.1 叶片干鲜比、含水率、比叶重及比叶面积变化

在淹水处理期间，不同淹水处理时间的玉兰叶片的干鲜比、含水率、比叶重及比叶面积基本保持稳定，且与对照组相近。淹水处理组玉兰的比叶重与其他三个指数相比，略有上升趋势（图 3-37）。

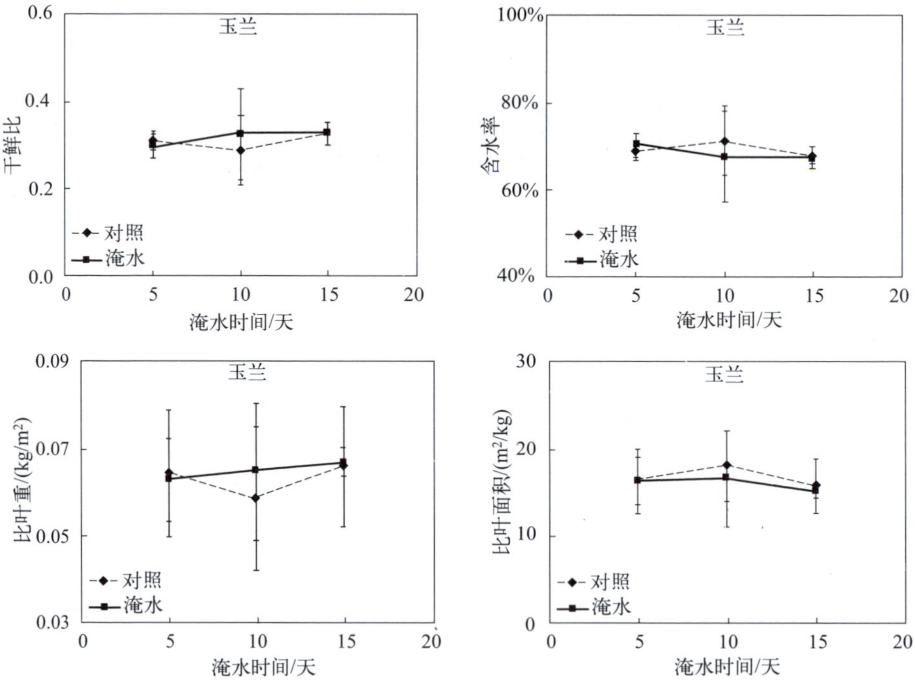

图 3-37 不同淹水处理条件下玉兰叶片的干鲜比、含水率、比叶重及比叶面积

3.7.2 叶片叶绿素含量变化

在淹水处理期间，玉兰的SPAD值呈下降趋势，与对照组之间的差值呈增加趋势（图3-38），表明淹水使玉兰受到胁迫，叶片叶绿素含量降低。

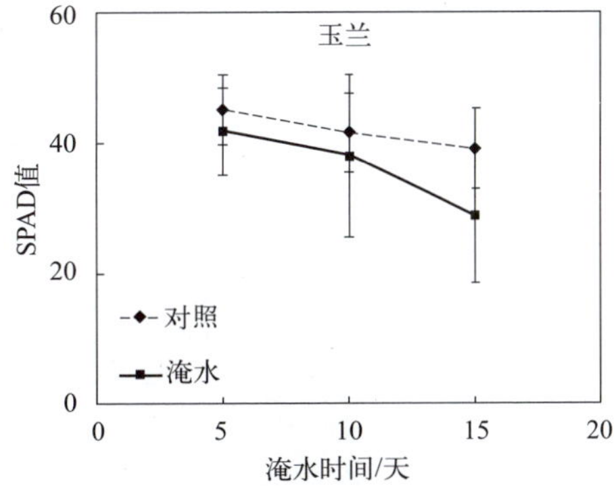

图 3-38 不同淹水处理条件下玉兰叶片的 SPAD 值

3.7.3 叶片光合荧光潜能指数变化

不同淹水处理时间的玉兰光合荧光潜能指数随淹水时间的增加呈下降趋势（图 3-39），表明淹水处理会影响玉兰叶片的光合作用，随淹水时间的延长，植物受胁迫程度加剧。

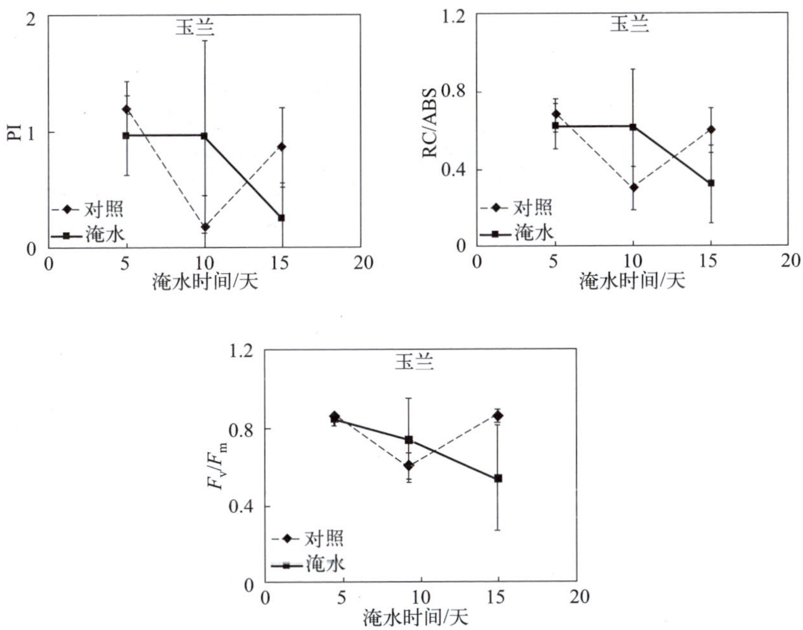

图 3-39 不同淹水处理条件下玉兰叶片的光合荧光潜能指数

3.7.4 淹水结束时地上部形态观测

淹水 5 天后，玉兰枝干挺拔，有少许叶片变黄，未出现叶片脱落和病虫害现象，地上部分生长势正常，观赏效果好；淹水 10 天后，植株茎干挺拔，部分茎尖及叶片萎蔫变褐，未出现叶片脱落和虫害现象，观赏效果不佳；淹水15天后，大部分植株茎尖与叶片枯萎黄褐，少量落叶，个别植株耐涝性较好，观赏效果较差。淹水处理组玉兰的叶片整体呈现为由绿转黄，SPAD值下降（图3-40），表明淹水对玉兰的影响主要表现为叶片黄化，并且逐渐萎蔫、枯萎。

对照组

淹水5天

淹水10天

淹水15天

图3-40　不同淹水处理条件下玉兰地上部形态变化

3.7.5　淹水结束时根系形态观测

对照组的老根呈棕黑色，新根白色，形态完整。淹水5天后，根系出现萎缩，肉质根少部分根尖有溃烂黑腐现象，表明根系受损。淹水10天至15天后，玉兰的根系出现渐进式腐烂，洗根过程中出现大量根表皮脱落现象，露出根系中间的白色髓心。淹水10天后，根系的一部分变为灰褐色半透明状，根尖脱落，15天后，大部分根的外周皮变色脱落（图3-41），表明根系严重受损，这与地上部叶片严重萎蔫的结果一致，表明玉兰根系较不耐水淹，水淹后根系形态和功能易遭到破坏，不能正常吸水。

3.7.6　恢复养护后形态观测

恢复养护一个月后，淹水5天的植株后期恢复效果一般，部分茎尖与老叶变成黄褐色，无新叶萌发，生长势正常；淹水10天的植株后期恢复效果不佳，大部分植株老叶变褐黄萎蔫，甚至落叶，生长势很差或濒死，仅个别植株株型完好并萌生冬芽；淹水 15 天的植株后期恢复效果不佳，老叶变黄萎蔫，但仍有个别植株株型完好并萌生冬芽（图 3-42）。

对照组

淹水5天

淹水10天

淹水15天

图 3-41 不同淹水处理条件下玉兰根系形态变化

对照组，养护1个月

淹水5天，恢复1个月

淹水10天，恢复1个月

淹水15天，恢复1个月

图 3-42 不同淹水处理的玉兰恢复生长一个月后地上部形态变化

由表 3-7 可知，淹水处理组玉兰恢复养护一个月后，均有植株死亡现象，且观赏效果较差。恢复养护至越冬后，所有淹水植株均死亡。这表明淹水处理影响玉兰的生长，恢复养护后其不能得到有效恢复，植株受害，不能越冬。

表 3-7　玉兰恢复养护后不同淹水处理组成活率、观赏效果及耐涝能力评价

恢复养护	淹水 5 天		淹水 10 天		淹水 15 天		耐涝能力评价
	成活率	观赏效果	成活率	观赏效果	成活率	观赏效果	
一个月	80%	2	40%	2	40%	1	极差
越冬后	0%	0	0%	0	0%	0	

综合来看，在淹水处理中，淹水使玉兰叶片黄化，叶绿素含量下降，光合作用减弱；随淹水时间的增加，其观赏效果减弱；恢复养护后，淹水处理组植株未能得到有效恢复；越冬后，成活率为 0。玉兰综合评分为 59.3，耐涝能力极差。

3.8　紫丁香

3.8.1　叶片干鲜比、含水率、比叶重及比叶面积变化

不同淹水处理时间的紫丁香叶片含水率呈现下降趋势，干鲜比反之，比叶重和比叶面积与对照组差异不大（图 3-43）。

3.8.2　叶片叶绿素含量变化

淹水 5 天、10 天紫丁香的 SPAD 值低于对照组，淹水 15 天紫丁香的 SPAD 值高于对照组（图 3-44），表明淹水使紫丁香叶片叶绿素含量受到影响。

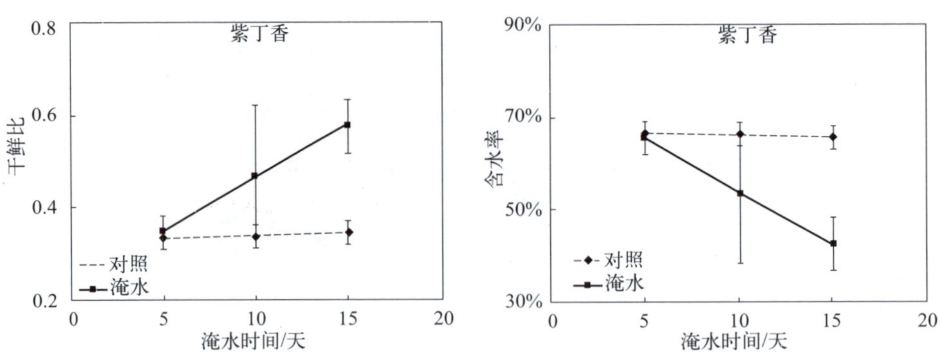

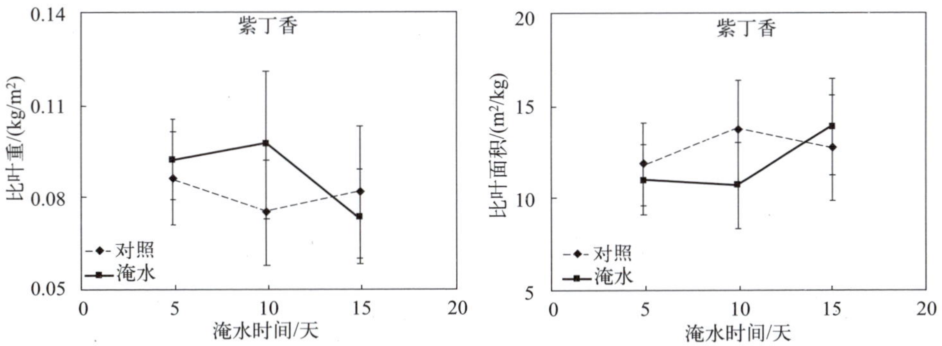

图 3-43 不同淹水处理条件下紫丁香叶片的干鲜比、含水率、比叶重及比叶面积

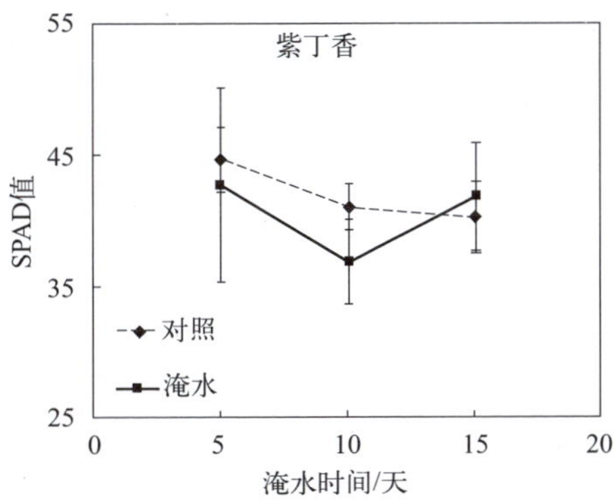

图 3-44 不同淹水处理条件下紫丁香叶片的 SPAD 值

3.8.3 叶片光合荧光潜能指数变化

淹水处理组紫丁香的光合荧光潜能指数多数低于对照组，通过光合敏感指数 PI 可以看出，淹水处理条件下紫丁香处于受胁迫状态，随着淹水时间的延长，胁迫程度加剧（图 3-45）。

3.8.4 淹水结束时地上部形态观测

淹水 5 天后，紫丁香枝干挺拔，未出现叶片脱落和病虫害现象，观赏效果较好，地上部分生长势正常；淹水 10 天后，植株茎干挺拔，部分叶缘卷曲，叶片呈现水渍状，未出现叶片脱落和虫害现象，观赏效果不佳；淹水 15 天后，大部分叶片呈水渍状，卷曲枯萎，少量落叶，观赏效果差（图 3-46）。这表明随淹水时间的增加，紫丁香观赏性逐渐降低。

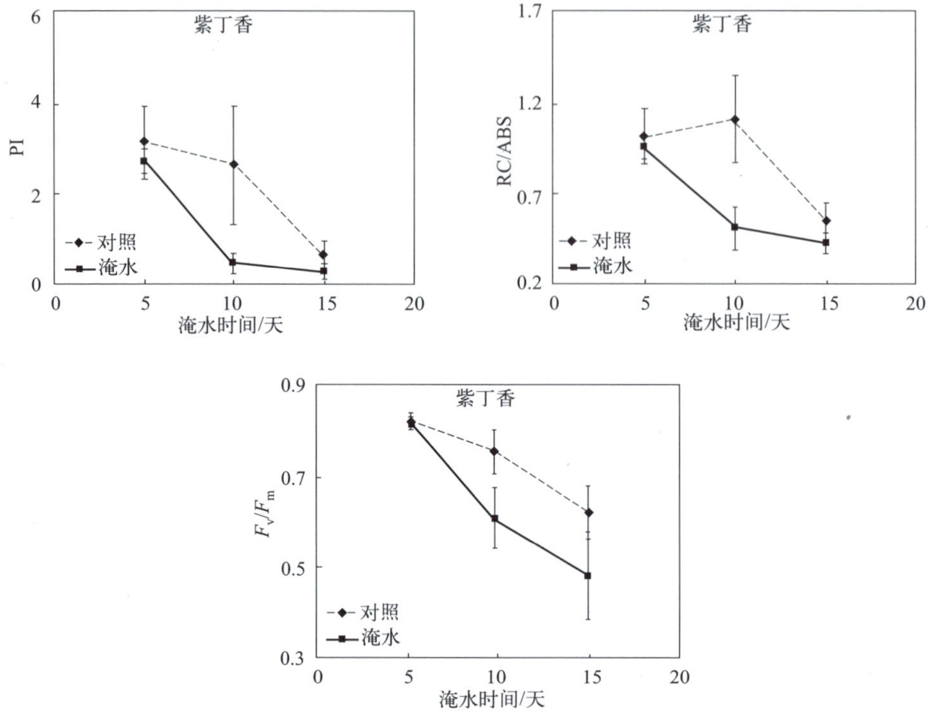

图 3-45 不同淹水处理条件下紫丁香叶片的光合荧光潜能指数

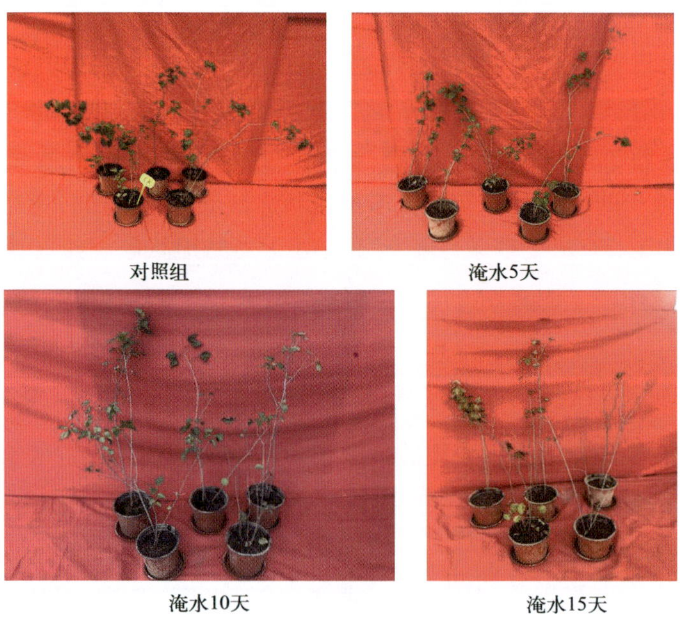

图 3-46 不同淹水处理条件下紫丁香地上部形态变化

3.8.5 淹水结束时根系形态观测

对照组紫丁香根系的老根呈浅棕黄色，新根呈牙白色；淹水 5 天的紫丁香根系完整，新根呈白色；淹水 10 天的紫丁香根系呈棕黄色至黑色；淹水 15 天的紫丁香根系呈灰白色，根尖腐烂，露出白色髓心（图 3-47）。表明淹水对丁香的影响随淹水时间的增加而逐渐加剧。

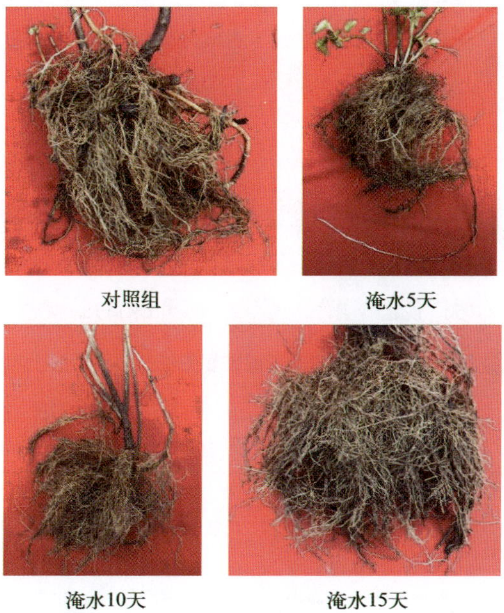

图 3-47 不同淹水处理条件下紫丁香根系形态变化

3.8.6 恢复养护后形态观测

恢复养护一个月后，淹水 5 天的植株恢复状况一般，部分茎尖与枝端叶片皱缩枯萎并开始脱落；淹水 10 天的植株后期恢复效果差，大部分叶片呈褐黄色并萎蔫，最终脱落，近干基部叶片保持完好；淹水 15 天的植株后期恢复效果差，枝端叶片全部枯萎（图 3-48）。

由表 3-8 可知，不同淹水处理时间的紫丁香经过一个月的恢复养护后，各淹水处理组植株的成活率分别降至 40%、20% 和 0%，观赏效果均较差。恢复养护至越冬后，成活率分别为 40%、40% 和 0%，存活植株观赏效果较差。

对照组，养护1个月

淹水5天，恢复1个月

淹水10天，恢复1个月

淹水15天，恢复1个月

图 3-48 不同淹水处理的紫丁香恢复生长一个月后地上部形态变化

表 3-8 紫丁香恢复养护后不同淹水处理组成活率、观赏效果及耐涝能力评价

恢复养护	淹水 5 天		淹水 10 天		淹水 15 天		耐涝能力评价
	成活率	观赏效果	成活率	观赏效果	成活率	观赏效果	
一个月	40%	3	20%	1	0%	0	极差
越冬后	40%	3	40%	3	0%	0	

综合来看，在淹水处理期间，淹水降低了紫丁香叶片含水率、叶片叶绿素含量、光合作用；淹水影响了紫丁香的地上形态，且随着淹水时间的增加，影响逐渐加强；恢复养护一个月后，地上形态不能得到恢复，且随着淹水时间的增加，植株成活率逐渐降低，观赏性逐渐减弱；至越冬后，各淹水处理组植株的成活率、观赏性和改善情况均不理想。紫丁香综合评分为61.08，耐涝能力极差。

3.9 栾树

3.9.1 叶片干鲜比、含水率、比叶重及比叶面积变化

淹水组与对照组相比，干鲜比、比叶重呈现出随淹水时间的增加而增加的

趋势，含水率、比叶面积则相反（图 3-49）。

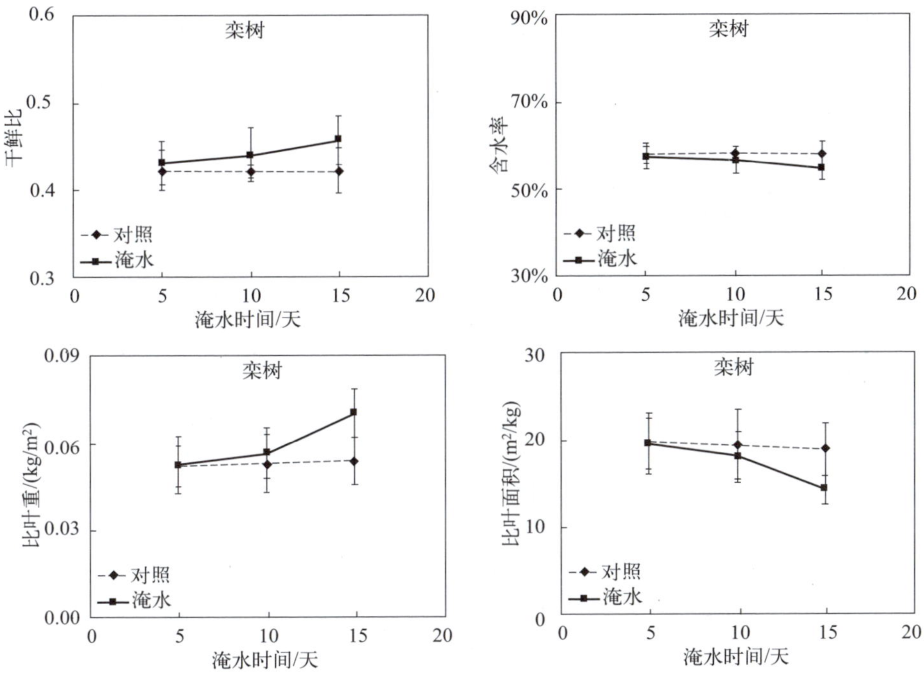

图 3-49 不同淹水处理条件下栾树叶片的干鲜比、含水率、比叶重及比叶面积

3.9.2 叶片叶绿素含量变化

在淹水处理期间，淹水组与对照组栾树的 SPAD 差值呈现逐渐减少的趋势（图 3-50），表明随淹水时间增加，叶片叶绿素含量逐渐降低。

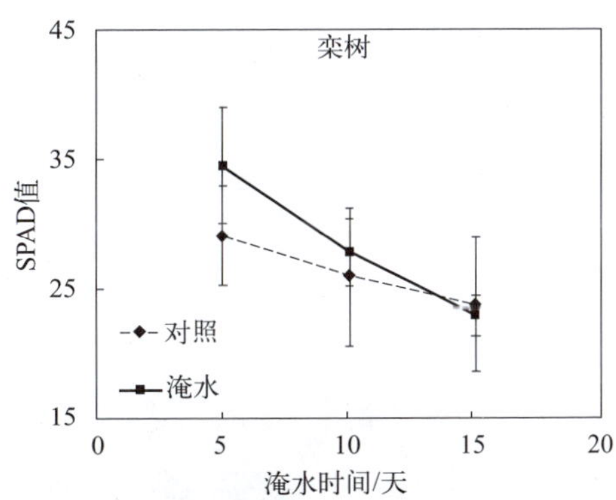

图 3-50 不同淹水处理条件下栾树叶片的 SPAD 值

3.9.3 叶片光合荧光潜能指数变化

在淹水处理期间，淹水组栾树的光合荧光潜能指数呈下降趋势（图 3-51），表明在淹水处理期间，植物的光合作用随淹水时间的延长而减弱。

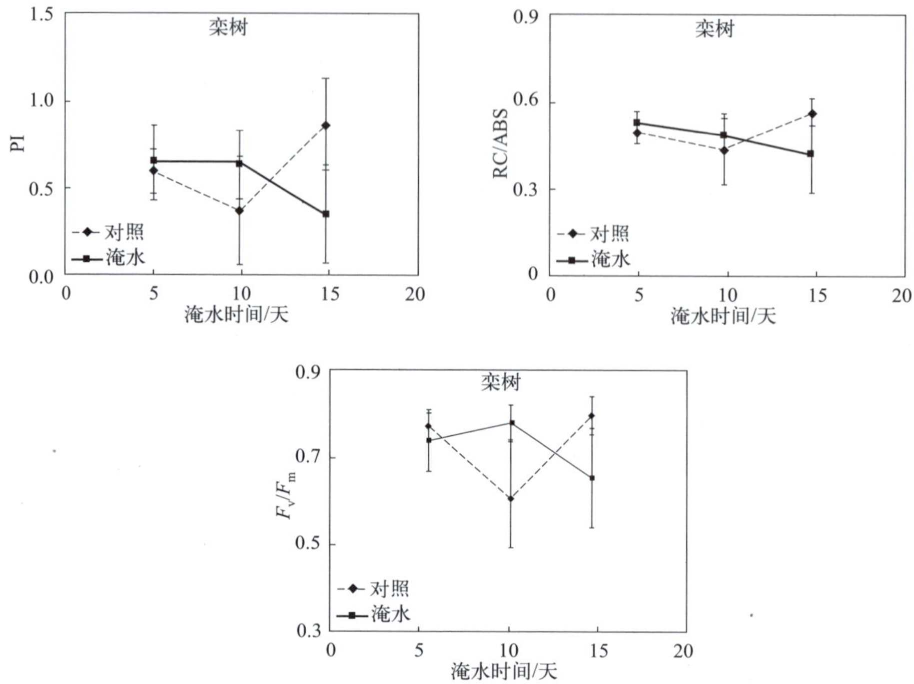

图 3-51 不同淹水处理条件下栾树叶片的光合荧光潜能指数

3.9.4 淹水结束时地上部形态观测

淹水 5 天处理组的栾树枝干挺拔，未出现叶片变色和病虫害现象，观赏效果良好，地上部分生长势正常；淹水 10 天处理组的植株茎干挺拔，部分叶片枯萎或褪绿变成柠檬黄色，未出现叶片脱落和虫害现象，观赏效果一般；淹水 15 天处理组的所有植株中下部叶片均枯萎或褪绿呈柠檬黄色，少量落叶，观赏效果较差（图 3-52）。这表明淹水对栾树的影响主要表现为叶片枯萎或褪绿呈柠檬黄色，对栾树整体形态有一定影响，且随着淹水时间的延长，影响逐渐加重。

对照组

淹水5天

淹水10天

淹水15天

图 3-52 不同淹水处理条件下栾树地上部形态变化

3.9.5 淹水结束时地下部形态观测

对照组根系有光泽，老根呈棕褐色，新根牙白色；淹水 5 天、10 天、15 天组的老根完整，呈棕褐色，新根呈灰白色（图 3-53）。这表明随淹水时间的延长，淹水对栾树根系的影响逐渐显现。

对照组

淹水5天

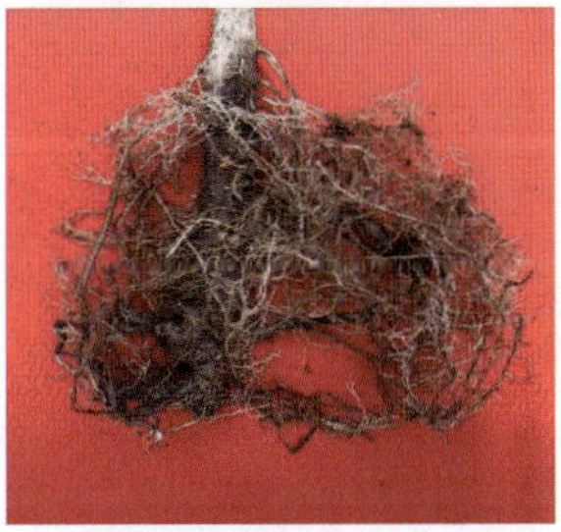

淹水10天

淹水15天

图 3-53 不同淹水处理条件下栾树根系形态变化

3.9.6 恢复养护后形态观测

恢复养护一个月后，淹水 5 天的植株恢复效果良好，无新叶萌发，株型丰满，叶色翠绿，生长势强于对照组；淹水 10 天的植株恢复效果一般，植株中下部部分黄叶掉落，枝顶部分老叶萎蔫，生长势一般；淹水 15 天的植株恢复效果一般，植株中下部黄叶脱落，枝顶复叶完好（图 3-54）。

对照组，养护1个月

淹水5天，恢复1个月

淹水10天，恢复1个月

淹水15天，恢复1个月

图 3-54 不同淹水处理的栾树恢复生长一个月后地上部形态变化

由表 3-9 可知，淹水组栾树恢复养护一个月后，耐涝评价为中，表明淹水对栾树的生长有一定影响。恢复养护至越冬后，耐涝评价为强，表明淹水对栾树越冬后的生长有影响，同时，经过越冬恢复，栾树的生长能得到一定程度的恢复。由此可知，淹水对栾树的生长有一定影响，但随恢复时间的延长，栾树生长逐渐恢复，但淹水 15 天处理组个别栾树未能越冬存活。

表 3-9 栾树恢复养护后不同淹水处理组成活率、观赏效果及耐涝能力评价

恢复养护	淹水 5 天		淹水 10 天		淹水 15 天		耐涝能力评价
	成活率	观赏效果	成活率	观赏效果	成活率	观赏效果	
一个月	100%	5	100%	3	100%	2	中
越冬后	100%	5	100%	5	75%	4	强

综合来看，淹水对栾树有一定影响，主要表现为叶片黄化、萎蔫甚至枯萎，SPAD 值和叶绿素含量下降。恢复养护后，淹水组栾树观赏效果与淹水时间成反比，越冬后，栾树的观赏性有所恢复，但淹水 15 天处理组个别植株未能越冬存活。

由此可知，栾树的耐涝能力为强。

3.10 垂柳

3.10.1 叶片干鲜比、含水率、比叶重及比叶面积变化

在淹水处理期间，淹水组垂柳的叶片干鲜比、含水率、比叶重及比叶面积较为稳定，变化不大（图 3-55）。

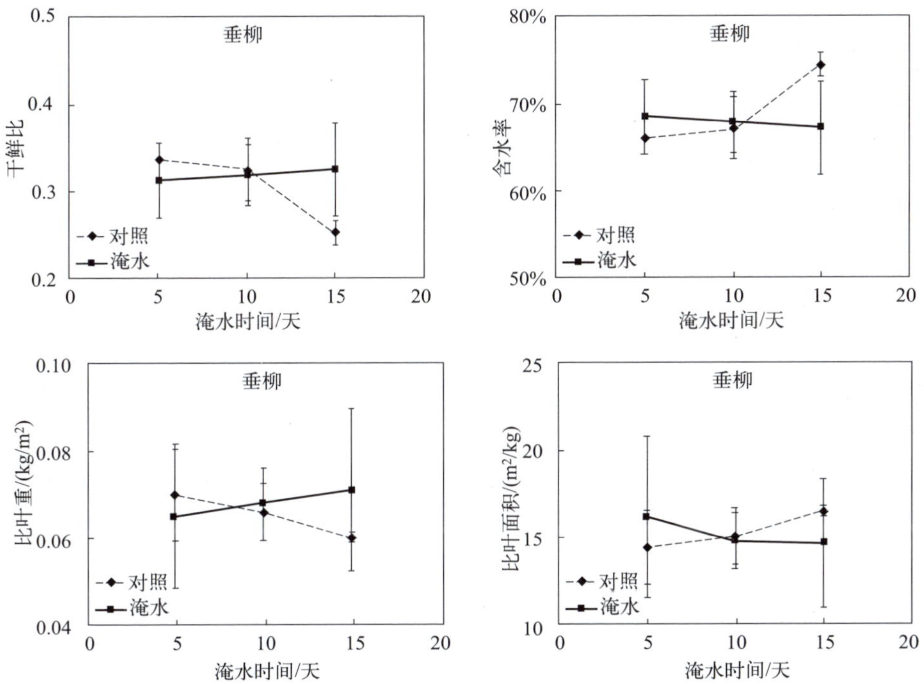

图 3-55 不同淹水处理条件下垂柳叶片的干鲜比、含水率、比叶重及比叶面积

3.10.2 叶片叶绿素含量变化

在淹水处理期间，垂柳的 SPAD 值总体保持稳定，并呈现略微上升的趋势

（图 3-56），表明淹水对叶片叶绿素含量的影响不大。

3.10.3 叶片光合荧光潜能指数变化

在淹水处理期间，淹水组垂柳的光合荧光潜能指数高于对照组，通过图 3-57 中各曲线可知，垂柳叶片光合作用中原初反应和光系统Ⅱ活性均有所增强，表明淹水对垂柳的光合作用有一定的促进作用。

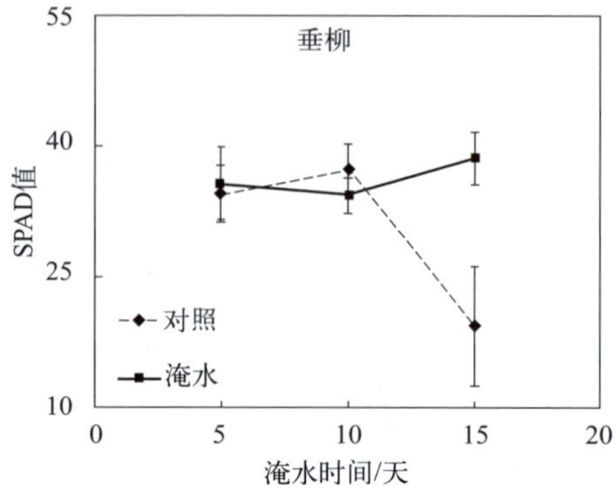

图 3-56 不同淹水处理条件下垂柳叶片的 SPAD 值

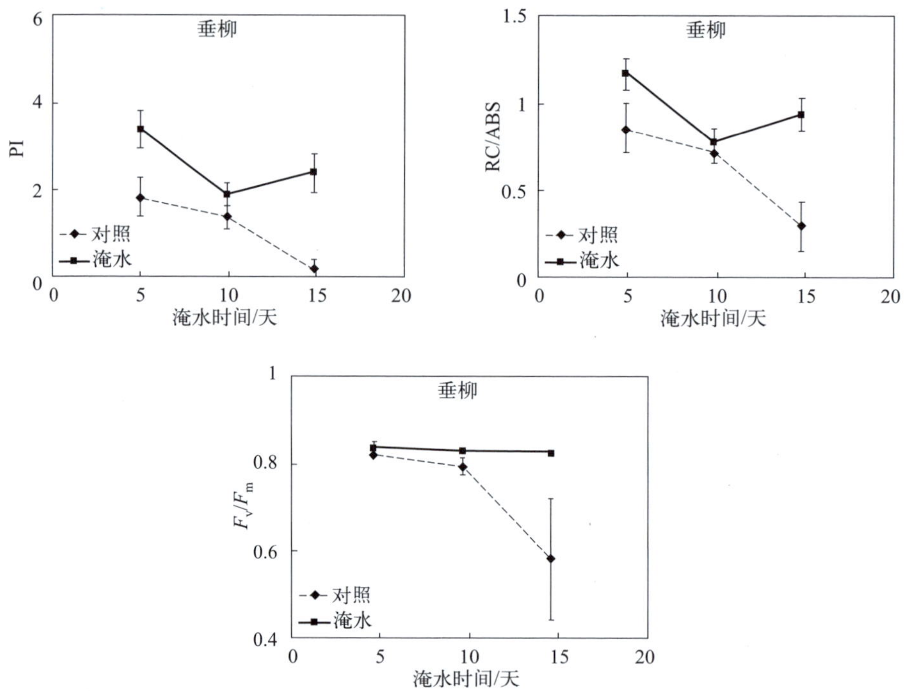

图 3-57 不同淹水处理条件下垂柳叶片的光合荧光潜能指数

3.10.4 淹水结束时地上部形态观测

淹水 5 天处理组植株枝干挺拔，叶片完好，未出现叶片脱落和病虫害现象，在靠近树干基部的位置萌生出粉红色不定根，观赏效果良好；淹水 10 天处理组植株茎干挺拔，叶片青绿，枝顶新叶发育正常，未出现叶片脱落和虫害现象，树干基部不定根数量增加，并萌生不定芽并抽生出新枝，观赏效果良好；淹水 15 天组植株株型披散，不定根生长加快，叶片青绿，几无落叶，观赏效果较好（图 3-58）。这表明淹水对垂柳的地上形态的影响不大。

对照组　淹水5天

淹水10天　淹水15天

淹水5天，树干基部长出不定根　淹水10天，树干基部长出不定根、不定芽，抽生新枝

图 3-58

淹水10天，枝顶新叶　　淹水15天，树干基部不定根

图 3-58　不同淹水处理条件下垂柳地上部形态变化

3.10.5　淹水结束时根系形态观测

对照组根系中，老根呈褐黄色，新根牙白色；淹水 5 天处理组根系形态良好，发育正常，开始萌生粉红色不定根；淹水 10 天处理组老根呈黑色，新根发育良好，呈牙白色；淹水 15 天处理组老根呈灰黑色，新根呈白色，不定根生长显著增加且颜色变深（图 3-59）。这表明淹水对垂柳根系的影响较小。

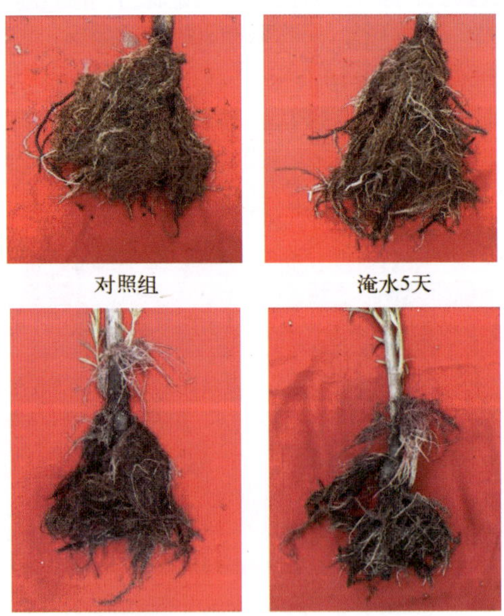

对照组　　淹水5天

淹水10天　　淹水15天

图 3-59　不同淹水处理条件下垂柳根系形态变化

3.10.6 恢复养护后形态观测

恢复养护一个月后，淹水组植株均出现生长不良的现象，其生长势较淹水处理期间（淹水 5 天、10 天、15 天时）有所减弱，观赏效果降低；淹水 5 天处理组植株，部分茎尖与新叶萎蔫，呈灰黄色，无新叶萌发，生长势一般；淹水 10 天处理组植株，新叶全部灰黄萎蔫，甚至出现落叶，生长势一般；淹水 15 天组植株，叶片全部萎蔫变为灰黄色，但仍有个别植株从基部萌生新枝（图 3-60）。

对照组，养护1个月　　淹水5天，恢复1个月

淹水10天，恢复1个月　　淹水15天，恢复1个月

图 3-60 不同淹水处理的垂柳恢复生长一个月后地上部形态变化

由表 3-10 可知，经淹水处理的垂柳恢复养护至一个月后，耐涝能力评价为差，恢复养护至越冬后，耐涝评价为中。结果表明，淹水处理对垂柳的生长有一定影响，这种影响在短时间内表现不突出，但随着恢复养护时间的延长，影响逐渐显现，越冬后部分植株恢复生长，观赏效果略有改善。

表 3-10 垂柳恢复养护后不同淹水处理组成活率、观赏效果及耐涝能力评价

恢复养护	淹水 5 天		淹水 10 天		淹水 15 天		耐涝能力评价
	成活率	观赏效果	成活率	观赏效果	成活率	观赏效果	
一个月	100%	3	60%	2	0%	0	差
越冬后	50%	3	75%	3	25%	3	中

综合来看，在淹水处理中，淹水对垂柳的影响不显著，主要表现为树干基部萌生不定根；而在恢复养护一段时间后，淹水对其的影响逐渐显著，表现为叶片黄化甚至落叶；越冬后，植株的生长状态得到一定的恢复。

研究表明，淹水对垂柳的影响主要表现在淹水后，即从淹水环境中撤出后，叶片产生黄化、落叶等现象。造成这种现象的原因可能是，在淹水过程中，垂柳生长出不定根，以适应淹水环境，而从淹水环境中撤出后，植株未能及时适应非淹水环境，从而导致垂柳出现黄叶、落叶等情况。越冬后，垂柳通过自身的调节逐渐恢复生长。

由此可知，垂柳的耐涝（淹水后快速撤出，没有湿润缓冲环境）能力为中。

3.11 国槐

3.11.1 叶片干鲜比、含水率、比叶重及比叶面积变化

淹水组国槐叶片的干鲜比和含水率变化不大，比叶重、比叶面积与对照组相比有较大的差异，淹水组比叶重低于对照组，但随着淹水时间的增加，二者的差值逐渐减小（图 3-61）。

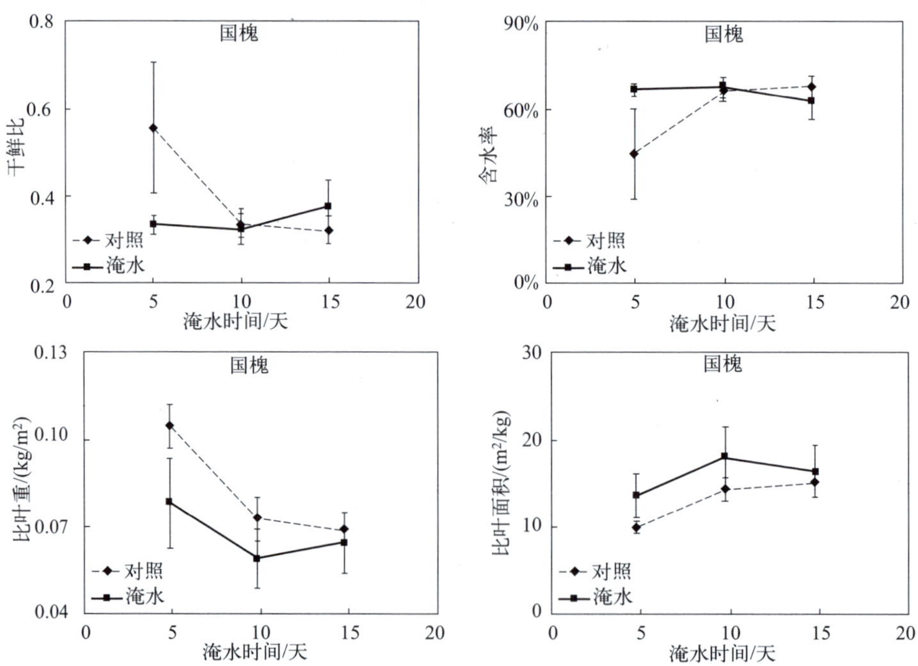

图 3-61 不同淹水处理条件下国槐叶片的干鲜比、含水率、比叶重及比叶面积

3.11.2 叶片叶绿素含量变化

淹水组国槐的SPAD值呈现逐渐下降的趋势，这是由于淹水使叶片黄化（图3-62），表明淹水对国槐的生长有一定影响，主要表现为叶片黄化和叶绿素含量下降。

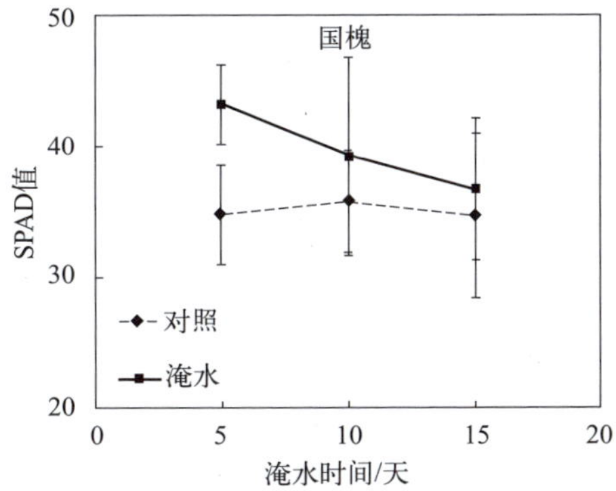

图3-62 不同淹水处理条件下国槐叶片的SPAD值

3.11.3 叶片光合荧光潜能指数变化

淹水组国槐的光合荧光潜能指数在前期（淹水5天、10天）高于对照组，而在后期（淹水15天）低于对照组（图3-63）。这表明在淹水前期，淹水促进了叶片的光合作用，而在淹水后期，光合作用受到抑制。

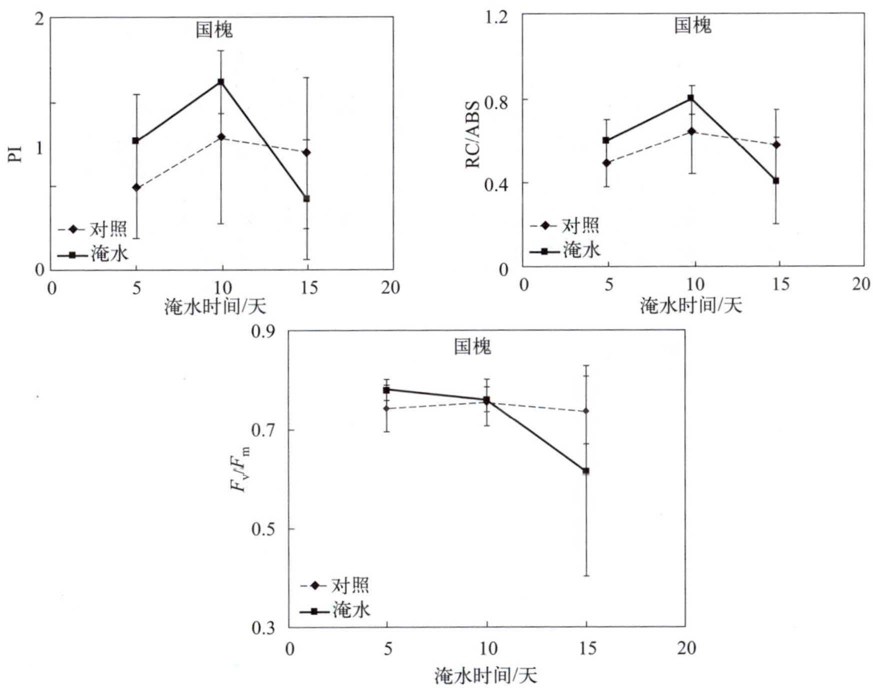

图3-63 不同淹水处理条件下国槐叶片的光合荧光潜能指数

3.11.4 淹水结束时地上部形态观测

淹水 5 天处理组植株枝干挺拔，部分叶片变黄，未出现叶片脱落和病虫害现象，观赏效果好，地上部分生长势正常；淹水 10 天处理组植株茎干挺拔，中下部部分叶片变黄，未出现叶片脱落和虫害现象，观赏效果较好；淹水 15 天处理组植株中下部近 1/3 叶片变黄并出现落叶，个别植株黄叶和落叶较少，观赏效果一般（图 3-64）。这表明淹水对国槐的形态影响主要表现为：随淹水时间的增加，叶片逐渐变黄甚至脱落。

图 3-64 不同淹水处理条件下国槐地上部形态变化

3.11.5 淹水结束时根系形态观测

对照组根系中，老根呈棕黄色，新根呈白色；淹水 5 天处理组根系完整，呈棕褐色；淹水 10 天处理组老根呈棕黑色，新根呈白色；淹水 15 天处理组老根呈黑色，新根呈乳黄色（图 3-65）。结果表明，淹水会对国槐根系产生影响，且随淹水时间的增加，根系受害程度逐渐加深。

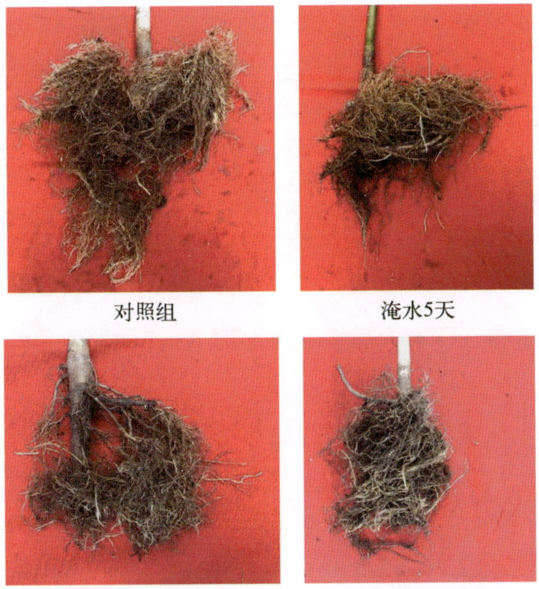

对照组　淹水5天

淹水10天　淹水15天

图 3-65 不同淹水处理条件下国槐根系形态变化

3.11.6 恢复养护后形态观测

恢复养护一个月后，淹水 5 天处理组植株恢复效果较好，部分老叶变黄，无新叶萌发，生长势正常；淹水 10 天处理组植株恢复效果一般，植株中下部部分叶片变黄，个别植株出现落叶，生长势一般；淹水 15 天处理组植株恢复效果一般，部分植株中下部老叶变黄，约一半植株出现落叶，但个别植株落叶后从树干基部萌发新枝，其余受害落叶植株形成保护性冬芽（图 3-66）。

对照组，养护1个月　淹水5天，恢复1个月

图 3-66

淹水10天，恢复1个月

淹水15天，恢复1个月

图 3-66 不同淹水处理的国槐恢复生长一个月后地上部形态变化

由表 3-11 可知，淹水处理组的国槐恢复养护一个月后，耐涝能力评价为强，淹水对国槐的生长有一定影响，主要表现在观赏效果降低。恢复养护至越冬后，耐涝性评价仍为强。

表 3-11 国槐恢复养护后不同淹水处理组成活率、观赏效果及耐涝能力评价

恢复养护	淹水 5 天		淹水 10 天		淹水 15 天		耐涝能力评价
	成活率	观赏效果	成活率	观赏效果	成活率	观赏效果	
一个月	100%	5	100%	4	100%	3	强
越冬后	100%	4.5	100%	5	75%	3	

综合来看，在淹水处理期间，淹水导致国槐叶片有机物含量先下降后回升，光合作用先增强后减弱，同时出现叶片黄化甚至落叶现象；恢复养护后，仅表现为观赏效果降低。

由此可知，国槐的耐淹水能力为强。

3.12 银杏

3.12.1 叶片干鲜比、含水率、比叶重及比叶面积变化

淹水组银杏叶片的干鲜比和含水率在前期（淹水 5 天、10 天，下同）与对照组相近，后期（淹水 15 天，下同）呈现干鲜比上升、含水率下降的趋势；淹水组叶片的比叶重和比叶面积前期保持平稳，而在后期呈现比叶重上升、比叶面积下降的趋势（图 3-67）。

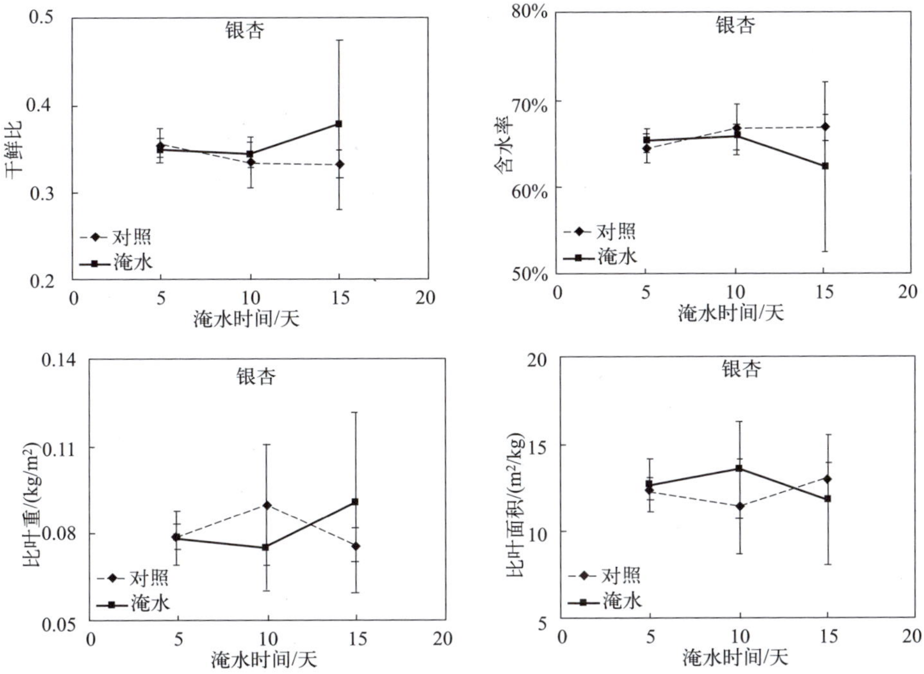

图 3-67 不同淹水处理条件下银杏叶片的干鲜比、含水率、比叶重及比叶面积

3.12.2 叶片叶绿素含量变化

淹水组银杏的 SPAD 值呈现先下降后平稳的趋势，可能是因为随淹水时间的延长，叶片逐渐黄化（图 3-68）。

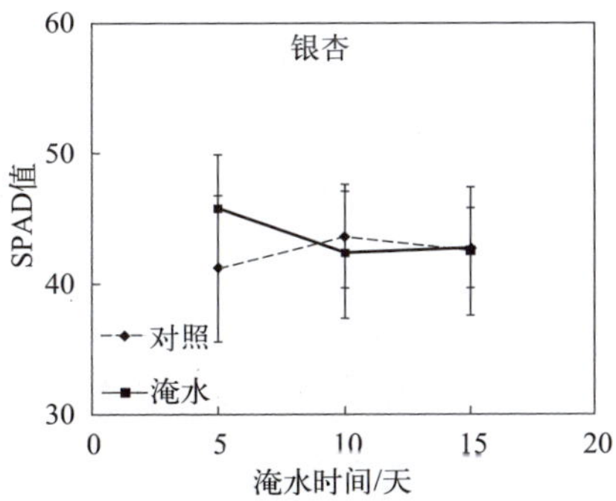

图 3-68 不同淹水处理条件下银杏叶片的 SPAD 值

3.12.3 叶片光合荧光潜能指数变化

淹水组银杏的光合荧光潜能显著指数 PI 呈现下降趋势（图 3-69），表明淹水影响银杏的光合作用，且随淹水时间的增加，光合作用逐渐减弱。淹水组银杏各光合荧光潜能指数均低于对照组，表明淹水影响光合作用的多个方面，随淹水时间的不同，影响效果不尽相同。

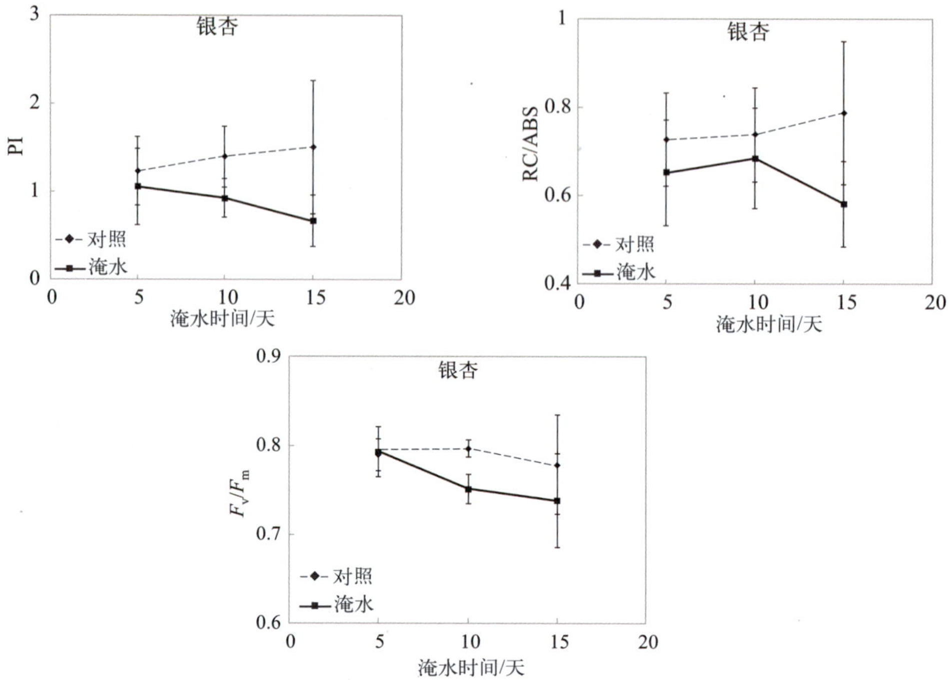

图 3-69 不同淹水处理条件下银杏叶片的光合荧光潜能指数

3.12.4 淹水结束时地上部形态观测

淹水组植株枝干挺拔，叶色正常，未出现叶片脱落和病虫害现象，观赏效果好，地上部分生长势正常；淹水 15 天处理组植株，部分枝顶叶缘与中下部叶柄褪绿，观赏效果减弱（图 3-70）。这表明淹水对银杏地上部形态的影响主要表现为叶片和叶柄褪绿。

对照组

淹水5天

淹水10天

淹水15天

淹水15天，叶缘褪绿

淹水15天，叶柄褪绿

图 3-70 不同淹水处理条件下银杏地上部形态变化

3.12.5 淹水结束时根系形态观测

对照组根系中，老根呈棕褐色，新根牙白色；淹水 5 天处理组根系完整，呈棕褐色；淹水 10 天处理组，个别根尖呈半透明状；淹水 15 天处理组，老根呈棕黑色，新根呈棕黄色，根尖出现外周皮脱落，露出白色髓心（图 3-71）。这表明淹水会对银杏根系产生影响，且随淹水时间增加，根系受害程度逐渐显著。

对照组

淹水5天

图 3-71

淹水10天　　淹水15天

图 3-71　不同淹水处理条件下银杏根系形态变化

3.12.6　恢复养护后形态观测

恢复养护一个月后，淹水 5 天处理组植株恢复效果一般，与对照组相比，叶色变化不大，生长势正常；淹水 10 天处理组植株恢复效果不佳，部分叶片褪绿并开始落叶，树木生长势一般；淹水 15 天处理组植株恢复效果较差，叶片褪绿与落叶现象严重（图 3-72）。

对照组，养护1个月　　淹水5天，恢复1个月

淹水10天，恢复1个月　　淹水15天，恢复1个月

图 3-72　不同淹水处理的银杏恢复生长一个月后地上部形态变化

由表 3-12 可知，淹水组银杏恢复养护一个月后，耐涝能力评价为强；恢

复养护至越冬后，耐涝评价仍为强。这表明淹水对银杏后期的恢复有一定影响；淹水使银杏观赏效果降低，越冬后仍不能恢复，但受害植株可以恢复生机。

表 3-12 银杏恢复养护后不同淹水处理组成活率、观赏效果及耐涝能力评价

恢复养护	淹水 5 天		淹水 10 天		淹水 15 天		耐涝能力评价
	成活率	观赏效果	成活率	观赏效果	成活率	观赏效果	
一个月	100%	5	100%	4	80%	3	强
越冬后	100%	4	100%	4	100%	3	

综合来看，在淹水处理期间，淹水对银杏的影响随淹水时间的增加而逐渐增强，淹水使银杏叶片含水率下降，有机物含量增多，叶片黄化，光合作用减弱，根系变化较大；恢复养护后，植株观赏效果下降，部分植株无法正常生长；恢复至越冬后，植株观赏效果未恢复，受害植株恢复生机。

研究表明，淹水对银杏有一定的影响，这种影响在淹水后恢复养护中更为突出，淹水对银杏的生理和形态均有影响，随淹水时长的不同而变化。养护至越冬后，虽不能恢复观赏效果，但受害植株可恢复生机。

由此可知，银杏的耐涝能力为强。

3.13 法桐

3.13.1 叶片干鲜比、含水率、比叶重及比叶面积变化

淹水组法桐叶片的干鲜比略高于对照组，含水率反之，淹水组的比叶重与对照组相比，呈现逐渐增加趋势，比叶面积反之（图 3-73）。

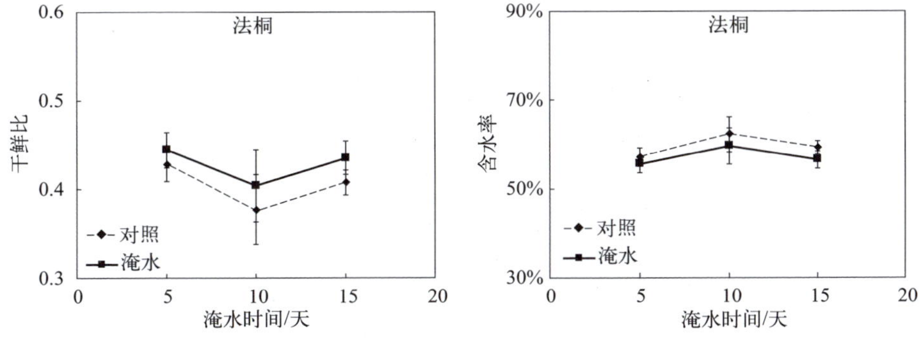

图 3-73

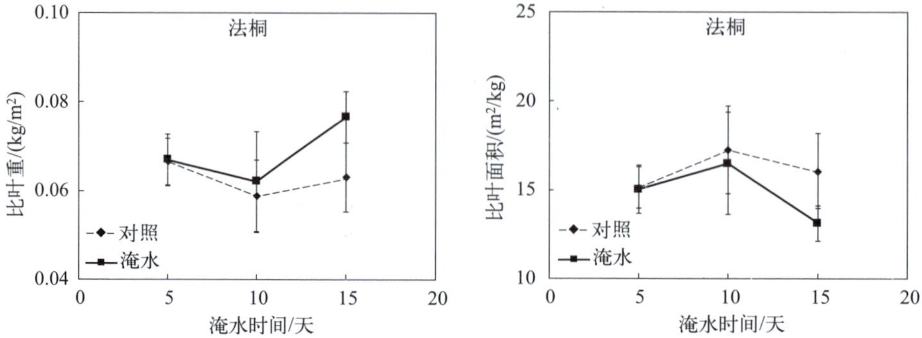

图 3-73 不同淹水处理条件下法桐叶片的干鲜比、含水率、比叶重及比叶面积

3.13.2 叶片叶绿素含量变化

在淹水处理期间，淹水组法桐的 SPAD 值与对照组相比，呈现前期（淹水 5 天、10 天）相差不大、后期降低的趋势（图 3-74）。

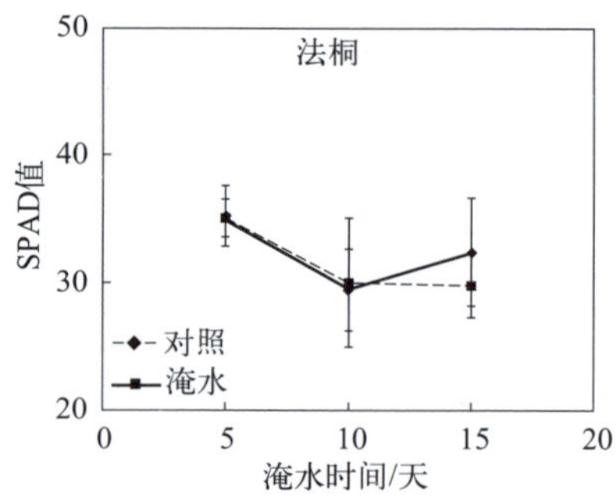

图 3-74 不同淹水处理条件下法桐叶片的 SPAD 值

3.13.3 叶片光合荧光潜能指数变化

淹水组法桐的光合荧光潜能指数均低于对照组（图 3-75），表明淹水环境降低了法桐的光合作用，并且随淹水时间的增加，光合作用逐渐下降。

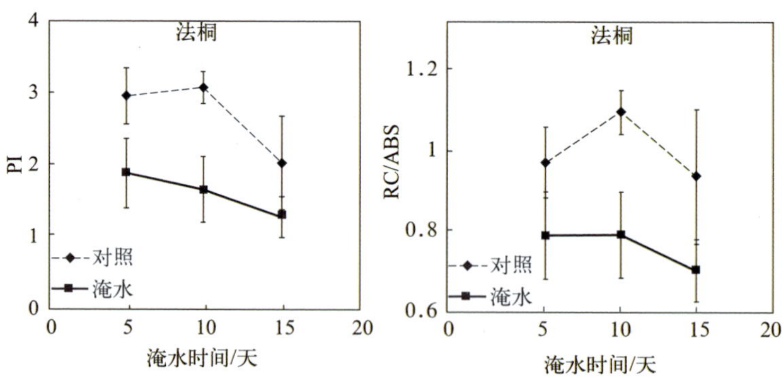

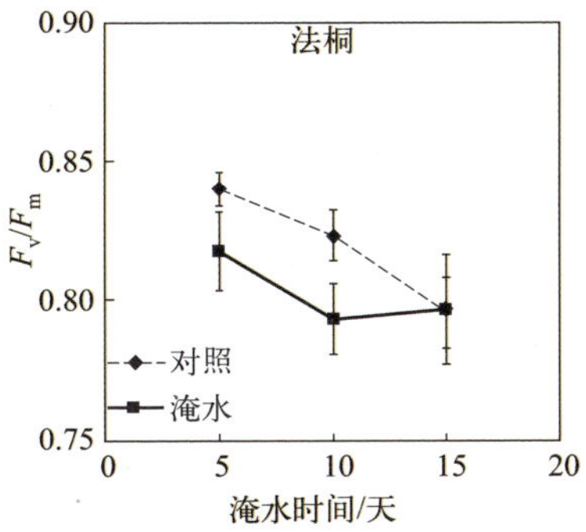

图 3-75 不同淹水处理条件下法桐叶片的光合荧光潜能指数

3.13.4 淹水结束时地上部形态观测

淹水 5 天处理组植株枝干挺拔，枝端有新叶萌生，未出现叶片脱落现象，个别叶片有病斑，观赏效果较好，地上部分生长势正常；淹水 10 天、15 天处理组植株茎干挺拔，叶色正常，未出现叶片脱落和虫害现象，观赏效果较好（图 3-76）。这表明淹水对法桐地上部形态的影响较小。

图 3-76 不同淹水处理条件下法桐地上部形态变化

3.13.5 淹水结束时根系形态观测

对照组根系的老根呈棕褐色，新根呈白色；淹水 5 天和 10 天处理组根系完整，老根呈棕褐色，新根呈白色；淹水 15 天处理组老根呈灰褐色，新根呈牙白色，根尖部分有发黑缢缩现象（图 3-77）。这表明淹水会对法桐根系产生影响。

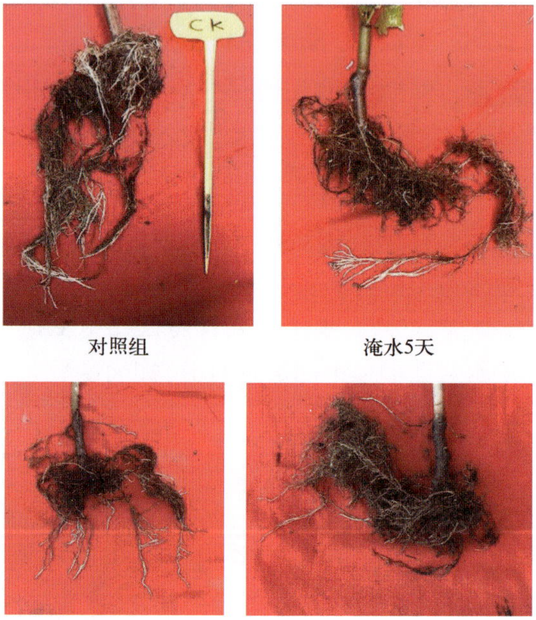

对照组　淹水5天　淹水10天　淹水15天

图 3-77 不同淹水处理条件下法桐根系形态变化

3.13.6 恢复养护后形态观测

恢复养护一个月后，淹水 5 天处理组植株恢复效果较好，部分茎尖与老叶变成黄褐色，无新叶萌发，生长势正常；淹水 10 天处理组植株恢复效果较好，少数植株叶缘变褐黄或萎蔫，生长势较强；淹水 15 天处理组植株恢复效果一般，一半以上植株出现整株落叶或枝端老叶卷曲、萎蔫的现象，部分植株出现病斑，观赏效果下降（图 3-78）。

对照组，养护1个月

淹水5天，恢复1个月

淹水10天，恢复1个月

淹水15天，恢复1个月

对照组在后期养护中遭受
美国白蛾为害

淹水15天处理组在后期恢复中
出现落叶与叶斑病

图 3-78 不同淹水处理的法桐恢复生长一个月后地上部形态变化

由表 3-13 可知，淹水组法桐恢复养护一个月后，耐涝能力评价为强。恢复养护后，法桐的观赏效果随淹水时间的增加而逐渐降低，甚至出现死亡植株。这表明淹水对法桐具有影响，且这种影响在脱离淹水环境后表现。越冬后植株的耐涝能力评价为中。

表 3-13 法桐恢复养护后不同淹水处理组成活率、观赏效果及耐涝能力评价

恢复养护	淹水 5 天		淹水 10 天		淹水 15 天		耐涝能力评价
	成活率	观赏效果	成活率	观赏效果	成活率	观赏效果	
一个月	100%	5	100%	4	60%	3	强
越冬后	100%	3	100%	3	50%	3	中

综合来看，在淹水处理期间，淹水对法桐的影响主要表现在叶片含水率下降，光合作用下降；淹水对地上部形态影响较小，长时间（15 天）淹水会对地下根系产生影响；恢复养护后，观赏效果降低，15 天淹水组出现死亡植株。

研究表明，淹水对法桐具有一定影响，会使植株的生理和形态等方面产生变化；这种影响主要在恢复养护后通过叶片变化体现，且随淹水处理时间的增加，这种影响逐渐变大。

由此可知，法桐的耐涝能力为中。

3.14 速生杨

3.14.1 叶片干鲜比、含水率、比叶重及比叶面积变化

淹水组速生杨干鲜比呈现上升趋势，含水率反之，淹水组比叶重呈现上升趋势，比叶面积反之（图 3-79）。

3.14.2 叶片叶绿素含量变化

在淹水处理前期（淹水 5 天、10 天），淹水组速生杨的 SPAD 值较为平稳且高于对照组；在淹水处理后期（淹水 15 天），淹水组速生物的 SPAD 值略低于对照组（图 3-80）。

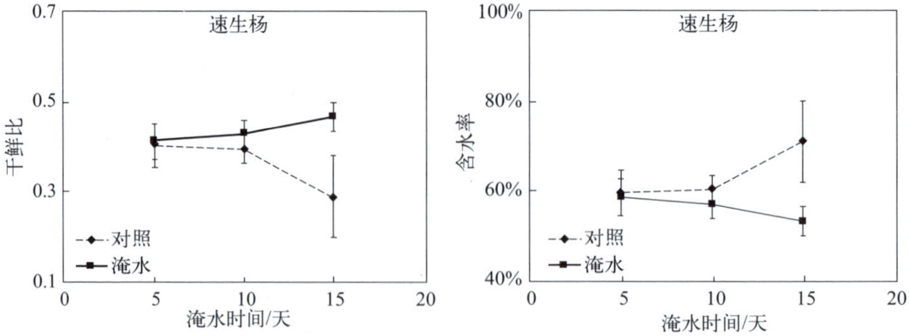

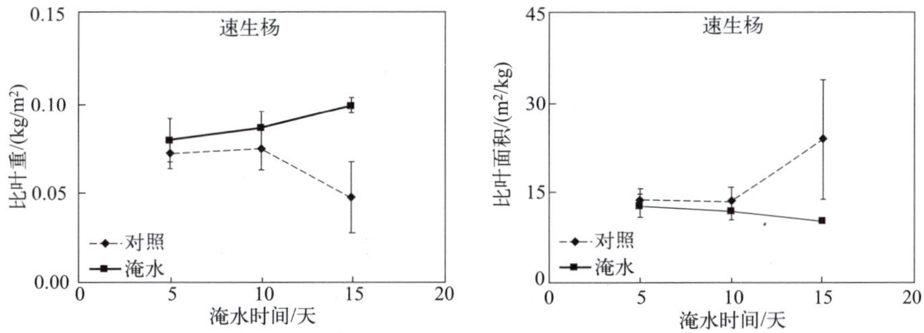

图 3-79 不同淹水处理条件下速生杨叶片的干鲜比、含水率、比叶重及比叶面积

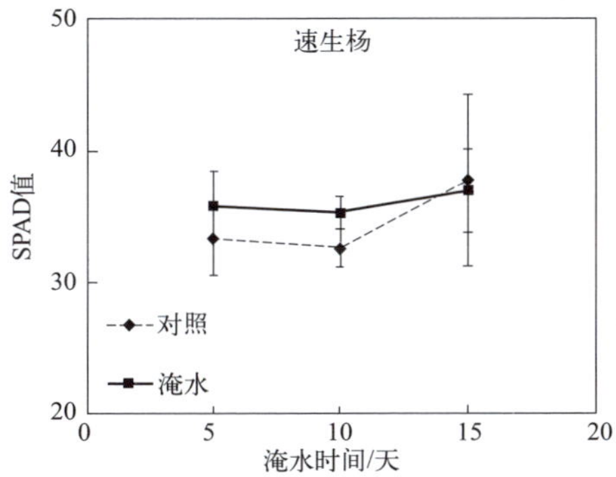

图 3-80 不同淹水处理条件下速生杨叶片的 SPAD 值

3.14.3 叶片光合荧光潜能指数变化

淹水组速生杨的光合荧光潜能指数前期（淹水 5 天、10 天）大于对照组，后期（淹水 15 天）小于对照组（图 3-81）。这表明在淹水前期，淹水促进了叶片的光合作用，而在后期（淹水 15 天），光合作用被抑制。

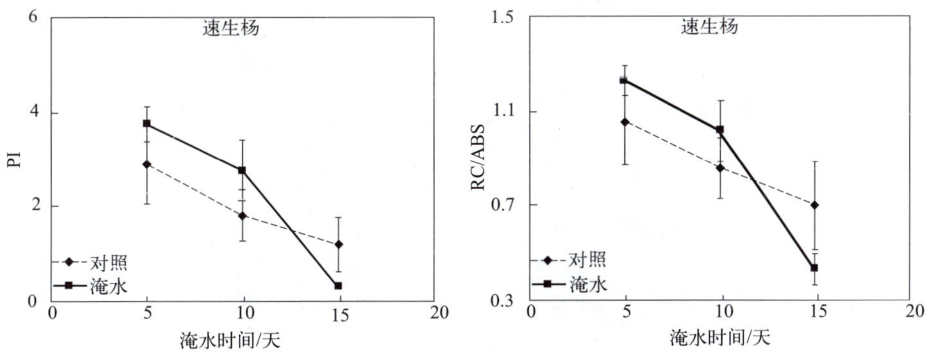

图 3-81

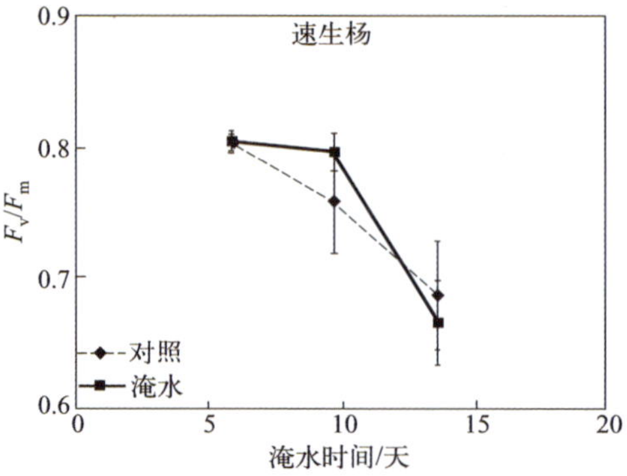

图 3-81 不同淹水处理条件下速生杨叶片的光合荧光潜能指数

3.14.4 淹水结束时地上部形态观测

淹水 5 天处理组的植株枝干挺拔，有少许叶片变黄，未出现叶片脱落和病虫害现象，观赏效果好，地上部分生长势正常；淹水 10 天处理组的植株茎干挺拔，未出现叶片脱落和虫害现象，观赏效果好，有粉红色新根从枝干基部萌生；淹水 15 天处理组的植株无落叶且枝端有棕红色新叶萌生，观赏效果好（图 3-82）。这表明淹水对速生杨地上部形态的影响较小，主要表现为少量叶片变黄、树干基部萌生新根。

3.14.5 淹水结束时根系形态观测

对照组根系的老根呈棕褐色，新根呈白色；淹水 5 天处理组根系完整，呈棕褐色；淹水 10 天、15 天组的老根呈棕黑色，新根呈白色（图 3-83）。这表明淹水对速生杨根系的影响较小。

对照组

淹水5天

淹水10天　淹水15天

淹水10天，不定根生长　淹水15天，新叶棕红色

图 3-82 不同淹水处理条件下速生杨地上部形态变化

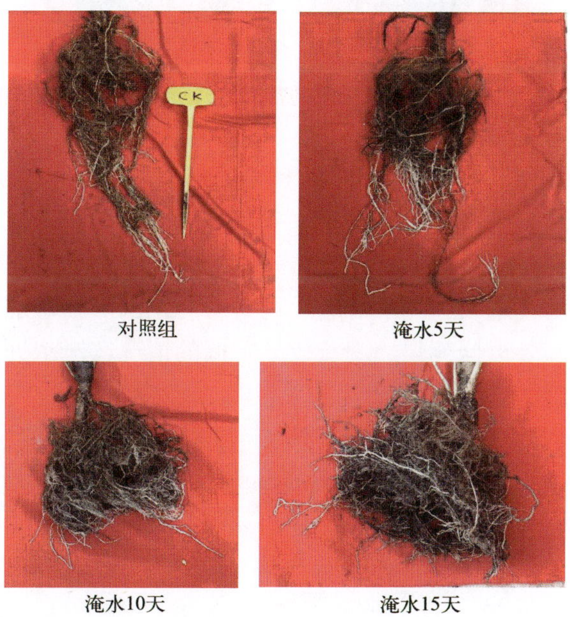

对照组　淹水5天

淹水10天　淹水15天

图 3-83 不同淹水处理条件下速生杨根系形态变化

3.14.6 恢复养护后形态观测

恢复养护一个月后，淹水组所有植株均枝干挺拔，少有叶片变色，未出现叶片脱落现象，且枝顶新叶不断萌生，地上部分生长势正常，观赏效果好（图 3-84）。

对照组，养护1个月　淹水5天，恢复1个月

淹水10天，恢复1个月　淹水15天，恢复1个月

图 3-84 不同淹水处理的速生杨恢复生长一个月后地上部形态变化

由表 3-14 可知，淹水组速生杨恢复养护一个月后，耐涝评价为极强，恢复养护至越冬后，耐涝评价为强。恢复养护后植株可以正常生长，观赏效果变化不大，越冬后，淹水 15 天处理组部分植株死亡，淹水 10 天、15 天处理组植株观赏效果降低。这表明淹水对速生杨具有一定的影响，这种影响主要在越冬后表现，出现部分植株死亡、观赏效果降低的情况，淹水处理时间越长，则植株受影响越大。

表 3-14 速生杨恢复养护后不同淹水处理组成活率、观赏效果及耐涝能力评价

恢复养护	淹水 5 天		淹水 10 天		淹水 15 天		耐涝能力评价
	成活率	观赏效果	成活率	观赏效果	成活率	观赏效果	
一个月	100%	5	100%	5	100%	5	极强
越冬后	100%	5	100%	4	75%	4	强

综合来看，在淹水处理期间，淹水对速生杨的影响主要表现为叶片含水率下降、光合作用先增长后骤降；淹水对地上形态、地下根系影响较小；恢复养护后，植株正常生长；越冬后，部分植株死亡，观赏效果下降。

研究表明，淹水对速生杨具有一定影响，这种影响主要体现在淹水期间的生理情况上，以及越冬后植物的生长中；越冬后大部分淹水植株存活，仅在淹水 15 天处理组中出现植株死亡现象，长时间（10 天及以上）淹水处理的植株，在越冬后观赏效果降低。

由此可知，速生杨的耐涝能力为极强。

3.15 小结

常见落叶乔木耐涝能力综合评分及分级见表 3-15。

表 3-15 常见落叶乔木耐涝能力综合评分及分级

序号	树种	得分	耐涝等级	序号	树种	得分	耐涝等级
1	柿	98.00	极强	14	刺槐	89.13	强
2	丝棉木	98.00	极强	15	元宝枫	87.64	强
3	白蜡树	97.62	极强	16	栾树	86.88	强
4	绒毛白蜡	96.55	极强	17	黑枣	86.00	强
5	中华金叶榆	96.36	极强	18	白桦	81.00	强
6	西府海棠	95.78	极强	19	垂柳	79.40	中（极强）
7	银杏	84.42	强	20	黄栌	77.18	中
8	榆树	93.90	极强	21	暴马丁香	89.00	强
9	速生杨	93.62	极强	22	玉兰	59.30	极差
10	山楂	93.33	极强	23	紫丁香	61.08	差
11	‘金叶’梣叶槭	92.83	极强	24	山桃	55.30	极差
12	法桐	79.40	中	25	火炬树	0.00	极差
13	国槐	89.23	强	26	碧桃	68.00	差

第4章

灌木、藤本植物耐涝性评价

4.1 大叶黄杨

4.1.1 叶片干鲜比、含水率、比叶重及比叶面积变化

淹水组大叶黄杨的叶片的干鲜比呈上升趋势，含水率呈下降趋势（图 4-1）。淹水组大叶黄杨的叶片比叶重在淹水过程中呈上升趋势，比叶面积呈下降趋势。

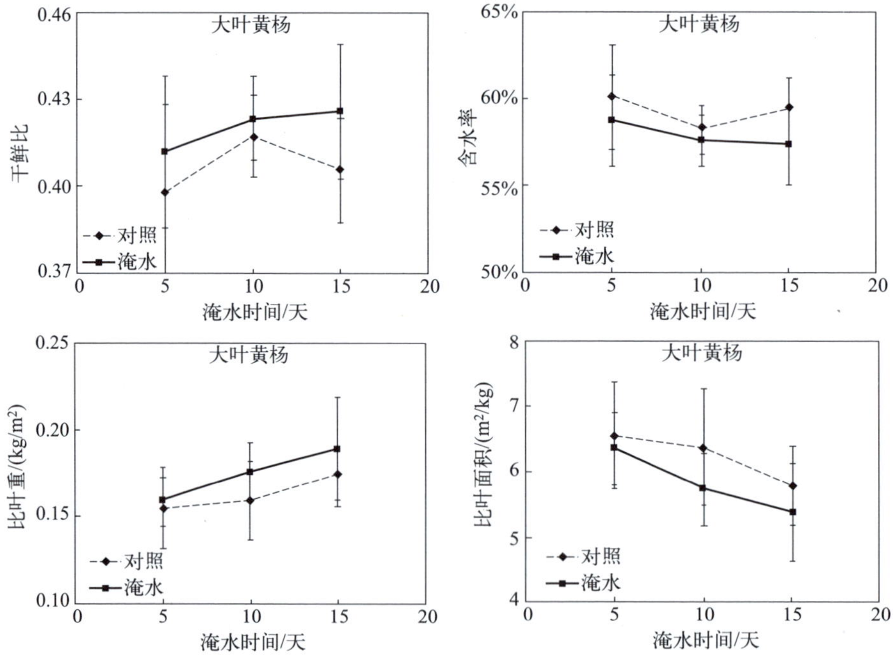

图 4-1 不同淹水处理条件下大叶黄杨叶片的干鲜比、含水率、比叶重及比叶面积

4.1.2 叶片叶绿素含量变化

在淹水处理期间，大叶黄杨的SPAD值呈现先高于对照组，后与对照组趋于一致的趋势（图4-2）。

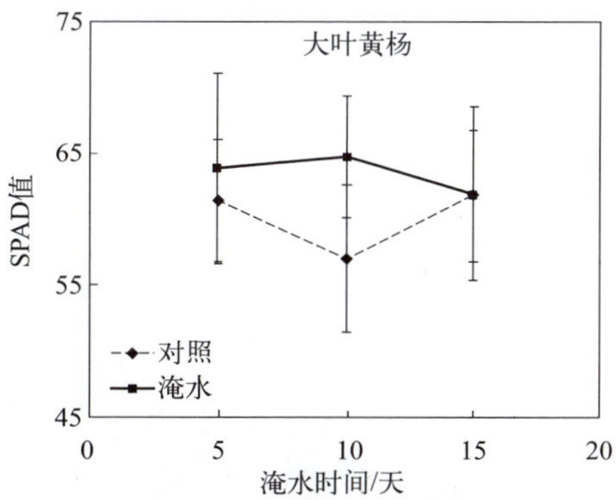

图 4-2 不同淹水处理条件下大叶黄杨叶片的 SPAD 值

4.1.3 叶片光合荧光潜能指数变化

在淹水处理期间，淹水处理组大叶黄杨的光合荧光潜能指数多数低于对照组（图4-3），且随着淹水时间的延长，胁迫程度逐渐加剧。

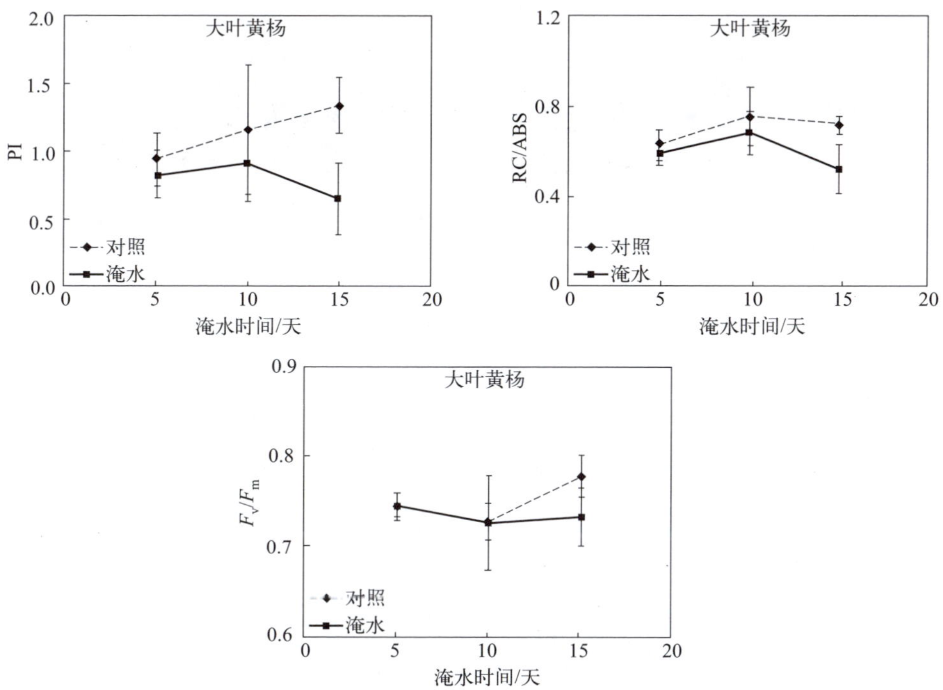

图 4-3 不同淹水处理条件下大叶黄杨叶片的光合荧光潜能指数

4.1.4 淹水结束时地上部形态观测

淹水组大叶黄杨植株叶色翠绿，未出现叶片脱落和病虫害现象，观赏效果良好，地上部分生长势正常（图 4-4）。结果表明，淹水对大叶黄杨地上部分形态的影响较小。

对照组　淹水5天　淹水10天　淹水15天

图 4-4　不同淹水处理条件下大叶黄杨地上部形态变化

4.1.5　淹水结束时根系形态观测

对照组根系中老根呈棕褐色，新根牙白色；淹水 5 天处理组根系完整，呈棕褐色；淹水 10 天处理组老根呈黑色，新根灰白色；淹水 15 天处理组新根呈灰白色（图 4-5）。结果表明，淹水会对大叶黄杨根系产生影响，且随淹水时间的延长，根系受害程度逐渐加重。

4.1.6　恢复养护后形态观测

恢复养护一个月后，对照组植株叶片出现少量变黄的现象；淹水组植株恢复效果较好，少量叶片变黄；淹水 15 天处理组植株生长势正常，但褪绿变黄的叶片数量略多于其他淹水组（图 4-6）。

对照组　　淹水5天

淹水10天　　淹水15天

图 4-5　不同淹水处理条件下大叶黄杨根系形态变化

对照组，养护1个月　　淹水5天，恢复1个月

淹水10天，恢复1个月　　淹水15天，恢复1个月

图 4-6　不同淹水处理的大叶黄杨恢复生长一个月后地上部形态变化

由表 4-1 可知，淹水组大叶黄杨恢复养护一个月后，耐涝能力评价为强；恢复养护至越冬后，耐涝能力评价为中。

表 4-1 大叶黄杨恢复养护后不同淹水处理组成活率、观赏效果及耐涝能力评价

恢复养护	淹水 5 天		淹水 10 天		淹水 15 天		耐涝能力评价
	成活率	观赏效果	成活率	观赏效果	成活率	观赏效果	
一个月	100%	5	100%	4	100%	3	强
越冬后	100%	5	50%	2	100%	4	中

综合来看，淹水降低了大叶黄杨叶片的含水率和光合作用能力；淹水对其地上部分形态的影响较小，但对地下根系的影响随着淹水时间的延长逐渐加重；恢复养护一个月后，地上部分形态恢复较好；越冬后，淹水各处理组的成活率和观赏效果基本恢复。大叶黄杨综合评分为 79.82，耐涝能力为中。

4.2 紫薇

4.2.1 叶片干鲜比、含水率、比叶重及比叶面积变化

淹水组紫薇叶片的干鲜比和含水率保持稳定（图 4-7），表明淹水处理对紫薇叶片含水率的影响较小。淹水组紫薇的叶片比叶重在淹水过程中呈下降趋势。

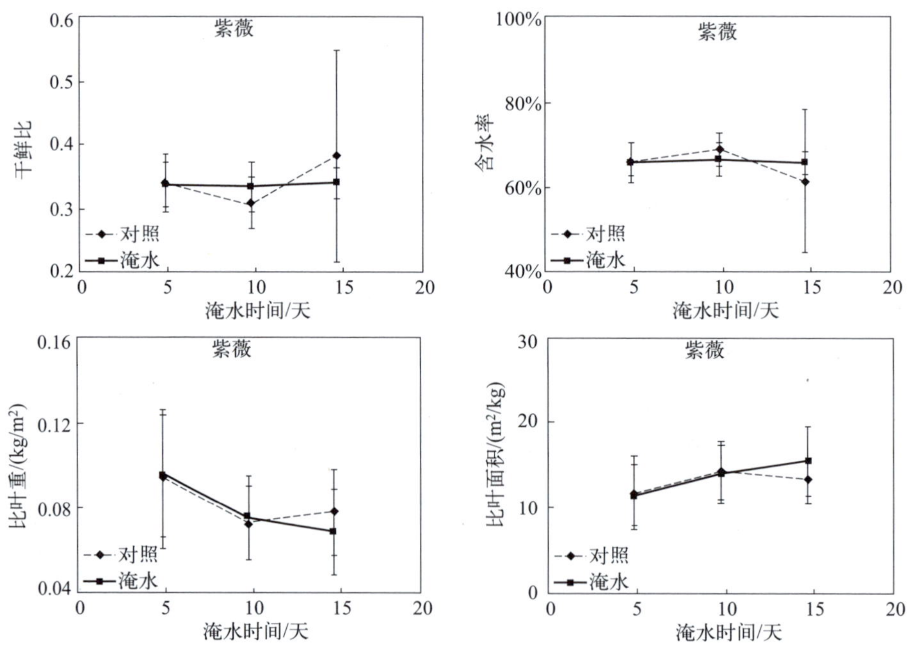

图 4-7 不同淹水处理条件下紫薇叶片的干鲜比、含水率、比叶重及比叶面积

4.2.2 叶片叶绿素含量变化

在淹水处理期间，紫薇的 SPAD 值呈现先高于对照组，后与对照组趋于一致的趋势（图 4-8）。

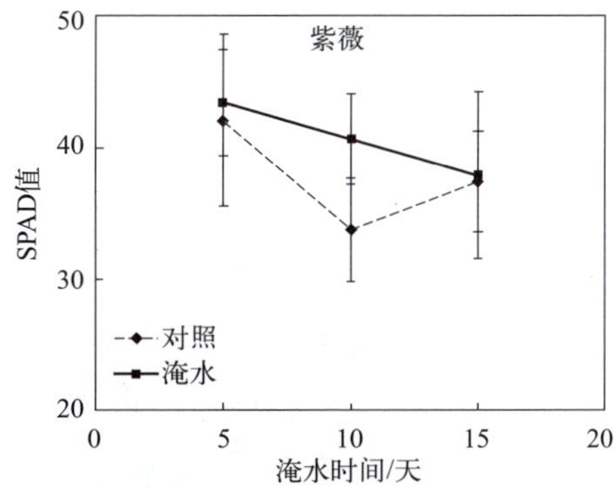

图 4-8 不同淹水处理条件下紫薇叶片的 SPAD 值

4.2.3 叶片光合荧光潜能指数变化

淹水组紫薇的光合荧光潜能指数整体呈现先下降后上升的趋势（图 4-9），表明淹水对紫薇的光合作用有一定影响。

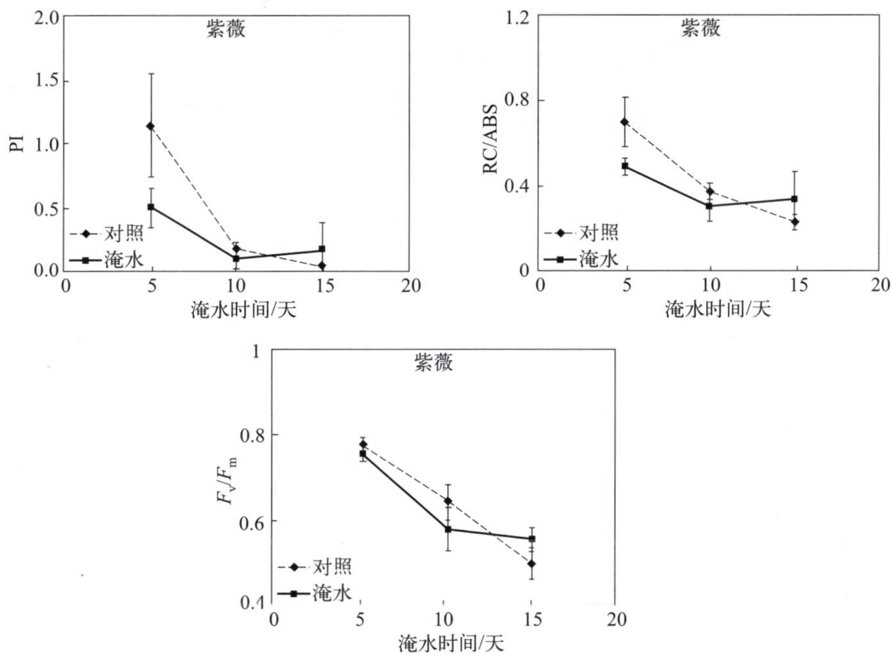

图 4-9 不同淹水处理条件下紫薇叶片的光合荧光潜能指数

4.2.4 淹水结束时地上部形态观测

淹水组植株枝干挺拔，除淹水 15 天处理组个别植株叶片褪绿变黄外，其余处理组植株均未出现叶片脱落和病虫害现象，各处理组均正常开花，观赏效果好，地上部分生长势正常（图 4-10）。这表明淹水对紫薇地上部分形态的影响主要表现为叶片黄化。

对照组　淹水5天

淹水10天　淹水15天

图 4-10　不同淹水处理条件下紫薇地上部形态变化

4.2.5　淹水结束时根系形态观测

对照组根系中老根呈花白色；淹水 5 天处理组根系完整，呈白色；淹水 10 天处理组老根发黑，新根呈灰白色；淹水 15 天处理组老根呈灰黄色，新根呈灰白色，部分根尖发黑（图 4-11）。这表明淹水会对紫薇根系产生影响，且随淹水时间的延长，根系受害程度逐渐加重。

4.2.6　恢复养护后形态观测

恢复养护一个月后，淹水 5 天处理组植株恢复效果一般，部分茎尖与老叶变成黄褐色，无新叶萌发，生长势正常；淹水 10 天处理组植株恢复效果不佳，大部分植株老叶变褐黄、萎蔫，甚至落叶，生长势很差或濒死，仅个别植株株型完好并萌生冬芽；淹水 15 天处理组植株恢复效果不佳，老叶变黄、萎蔫，但仍有个别植株株型完好并萌生冬芽（图 4-12）。

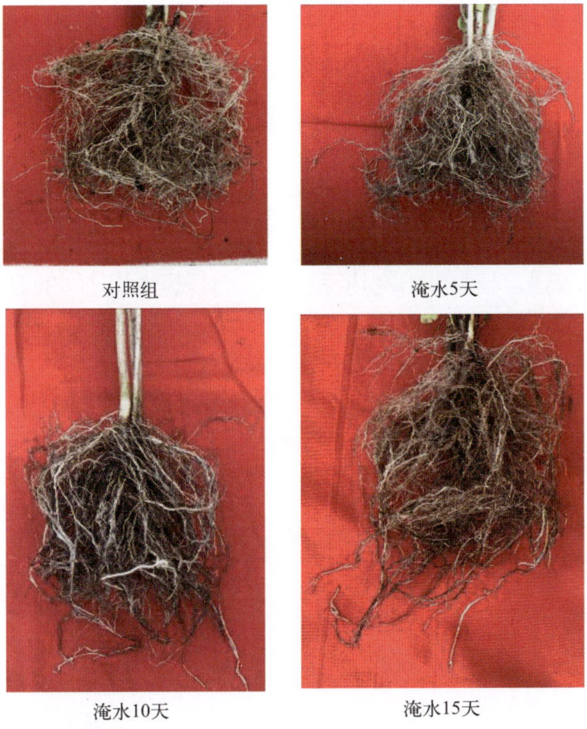

图 4-11 不同淹水处理条件下紫薇根系形态变化

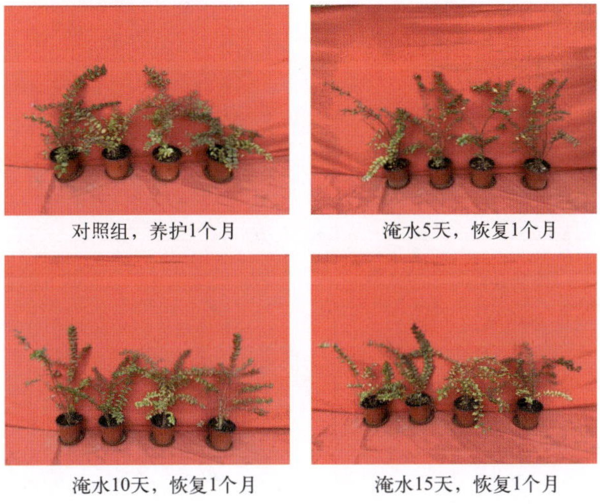

图 4-12 不同淹水处理的紫薇恢复生长一个月后地上部形态变化

由表 4-2 可知，经淹水处理的紫薇在恢复养护一个月后，耐涝能力评价为极强，恢复养护至越冬后，耐涝能力评价为差。

表 4-2　紫薇恢复养护后不同淹水处理组成活率、观赏效果及耐涝能力评价

恢复养护	淹水 5 天		淹水 10 天		淹水 15 天		耐涝能力评价
	成活率	观赏效果	成活率	观赏效果	成活率	观赏效果	
一个月	100%	5	100%	4	100%	4	极强
越冬后	100%	3	50%	2	100%	2	差

综合来看，紫薇在淹水处理期间，叶片含水率和叶绿素含量均保持稳定，光合作用先减弱后增强，植株形态和根系受损，且随淹水时间的延长，受损程度逐渐加重；植株恢复养护后恢复效果较好，但越冬后观赏效果较差。

由此可知，紫薇的耐涝能力为中。

4.3　珍珠梅

4.3.1　叶片干鲜比、含水率、比叶重及比叶面积变化

在淹水处理期间，淹水组珍珠梅叶片的干鲜比和比叶重在淹水过程中略呈上升趋势，比叶面积略呈下降趋势，含水率呈现先高于对照组，后与对照组趋于一致的趋势（图 4-13）。

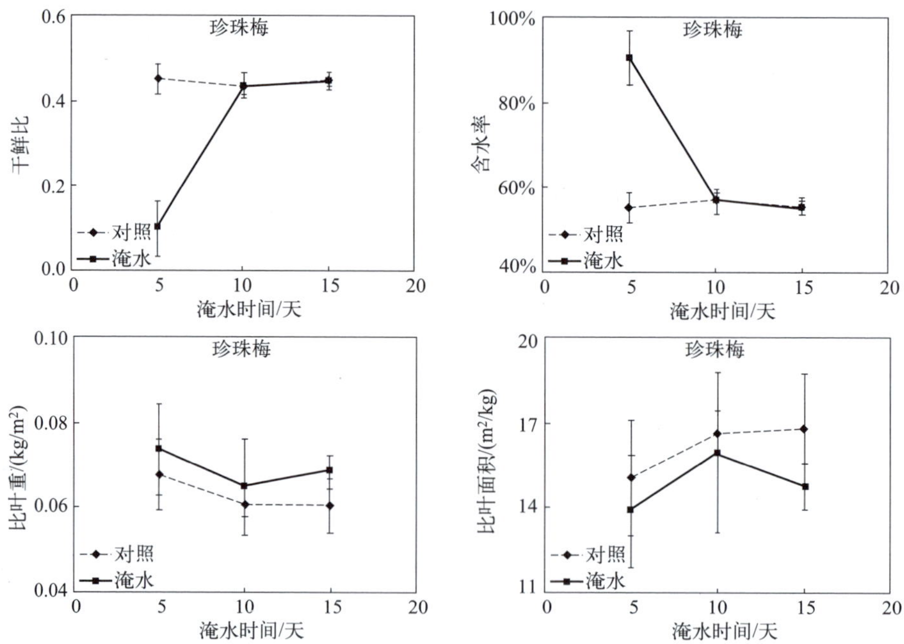

图 4-13　不同淹水处理条件下珍珠梅叶片的干鲜比、含水率、比叶重及比叶面积

4.3.2 叶片叶绿素含量变化

在淹水处理期间，珍珠梅的 SPAD 值始终高于对照组（图 4-14）。

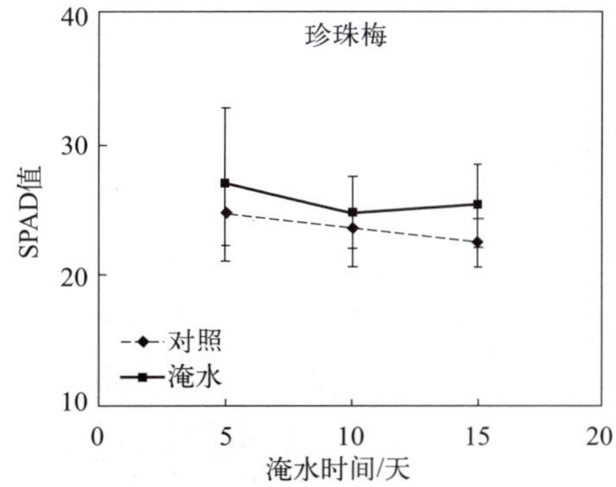

图 4-14 不同淹水处理条件下珍珠梅叶片的 SPAD 值

4.3.3 叶片光合荧光潜能指数变化

在淹水处理期间，淹水处理组珍珠梅的光合荧光潜能指数多数低于对照组，随着淹水时间的延长，胁迫程度逐渐加重（图 4-15）。

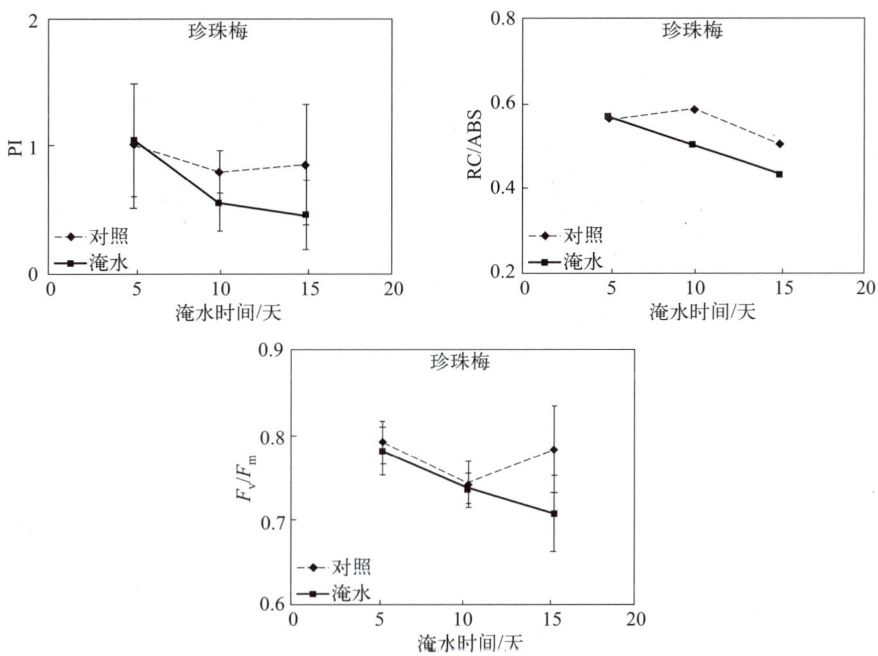

图 4-15 不同淹水处理条件下珍珠梅叶片的光合荧光潜能指数

4.3.4 淹水结束时地上部形态观测

淹水 5 天处理组植株枝干挺拔，有紫红色叶片从树干基部萌生，水面以下部分叶片枯萎，未出现叶片脱落和病虫害现象，观赏效果好，地上部分生长势正常；淹水 10 天处理组植株茎干挺拔，更多新枝从树干基部萌生，水面以下叶片及枝顶部分茎尖、叶片萎蔫，未出现叶片脱落和虫害现象，观赏效果较好；淹水 15 天处理组中大部分植株中下部部分叶片变黄，观赏效果一般（图 4-16）。结果表明，淹水对珍珠梅地上部分形态的影响较小。

对照组　淹水5天

淹水10天　淹水15天

图 4-16　不同淹水处理条件下珍珠梅地上部形态变化

4.3.5　淹水结束时根系形态观测

对照组根系中老根呈棕褐色，新根呈牙白色；淹水 5 天处理组根系完整，呈棕褐色；淹水 10 天处理组老根呈黑色，新根呈灰白色；淹水 15 天处理组根系呈灰白色（图 4-17）。这表明淹水会对珍珠梅根系产生影响，且随淹水时间的增加，根系受害程度处理逐渐加重。

4.3.6　恢复养护后形态观测

恢复养护一个月后，淹水 5 天处理组植株恢复效果一般，部分植株落叶，无新叶萌发，生长势正常；淹水 10 天处理组植株恢复效果不佳，部分植株新生叶褐黄萎蔫，生长势一般；淹水 15 天处理组植株恢复效果较差，新叶大多枯萎，但仍有新芽从干基部萌生（图 4-18）。

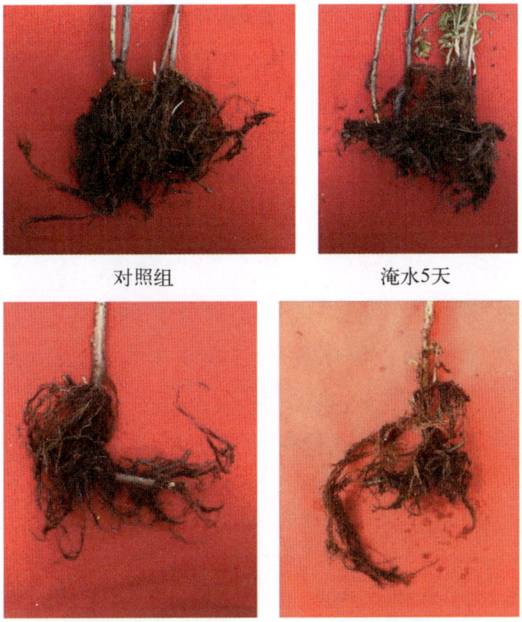

对照组　淹水5天　淹水10天　淹水15天

图 4-17 不同淹水处理条件下珍珠梅根系形态变化

对照组，养护1个月　淹水5天，恢复1个月　淹水10天，恢复1个月　淹水15天，恢复1个月

图 4-18 不同淹水处理的珍珠梅恢复生长一个月后地上部形态变化

由表 4-3 可知，淹水组的珍珠梅恢复养护一个月后，耐涝能力评价为差；恢复养护至越冬后，耐涝能力评价仍为差。

表 4-3 珍珠梅恢复养护后不同淹水处理组成活率、观赏效果及耐涝能力评价

恢复养护	淹水 5 天		淹水 10 天		淹水 15 天		耐涝能力评价
	成活率	观赏效果	成活率	观赏效果	成活率	观赏效果	
一个月	60%	4	40%	2	20%	1	差
越冬后	75%	4	50%	2	0%	0	差

综合来看，珍珠梅在淹水处理期间，叶片光合作用减弱，植株形态和根系受损，并且淹水时间越长，受损越严重；曾经淹水的植株，恢复养护后不能恢复生长。

研究表明，淹水对珍珠梅植株的地上部分和地下部分均有一定影响；恢复养护后，除短时间淹水的部分植株越冬后恢复生长外，其余淹水处理组植株不能恢复生长。

由此可知，珍珠梅的耐涝能力差。

4.4 大花醉鱼草

4.4.1 叶片干鲜比、含水率、比叶重及比叶面积变化

大花醉鱼草淹水中期（10 天）组与淹水长期（15 天）组叶片全部脱落。淹水短期（5 天）组大花醉鱼草叶片的干鲜比明显高于对照组，含水率明显低于对照组（图 4-19），表明淹水处理使大花醉鱼草叶片含水率在短期内快速下降。淹水短期组大花醉鱼草的叶片比叶重和比叶面积基本稳定。

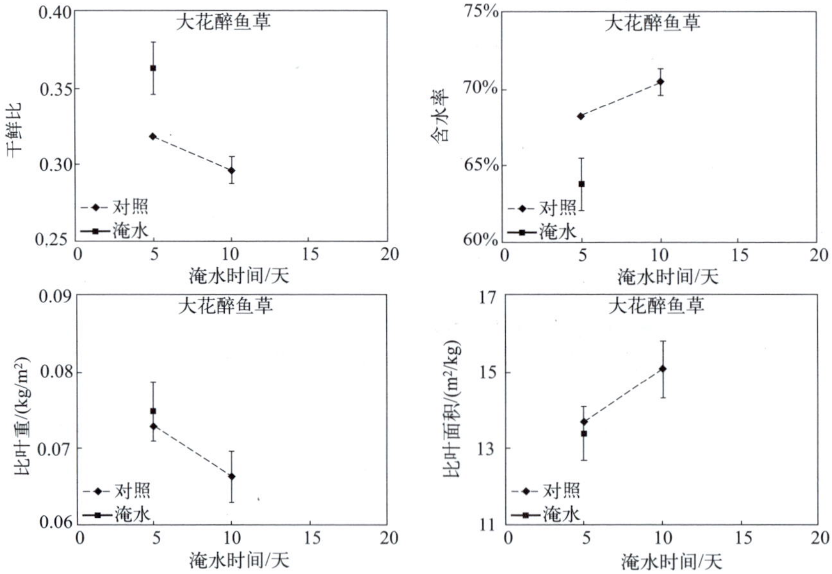

图 4-19 不同淹水处理条件下大花醉鱼草叶片的干鲜比、含水率、比叶重及比叶面积

4.4.2 叶片叶绿素含量变化

在淹水处理期间，大花醉鱼草的SPAD值呈现先低于对照组、后高于对照组的趋势（图4-20）。

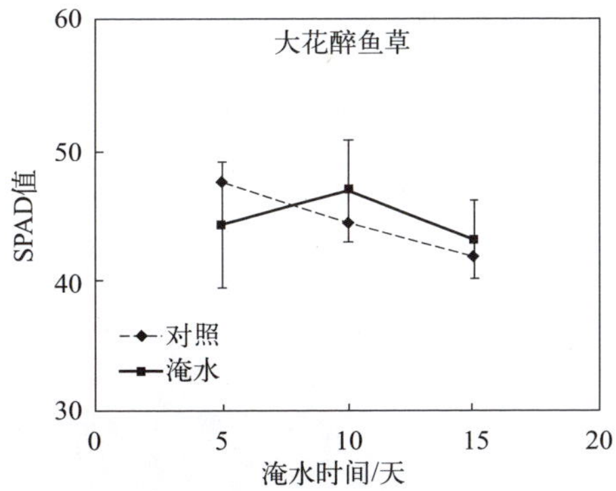

图 4-20 不同淹水处理条件下大花醉鱼草叶片的 SPAD 值

4.4.3 叶片光合荧光潜能指数变化

在淹水处理期间，淹水组大花醉鱼草的光合荧光潜能指数整体呈现下降趋势，前期下降较快，后期下降较慢（图4-21），表明淹水对大花醉鱼草的光合作用有一定影响，并且这种影响在一个时间段表现较为显著。

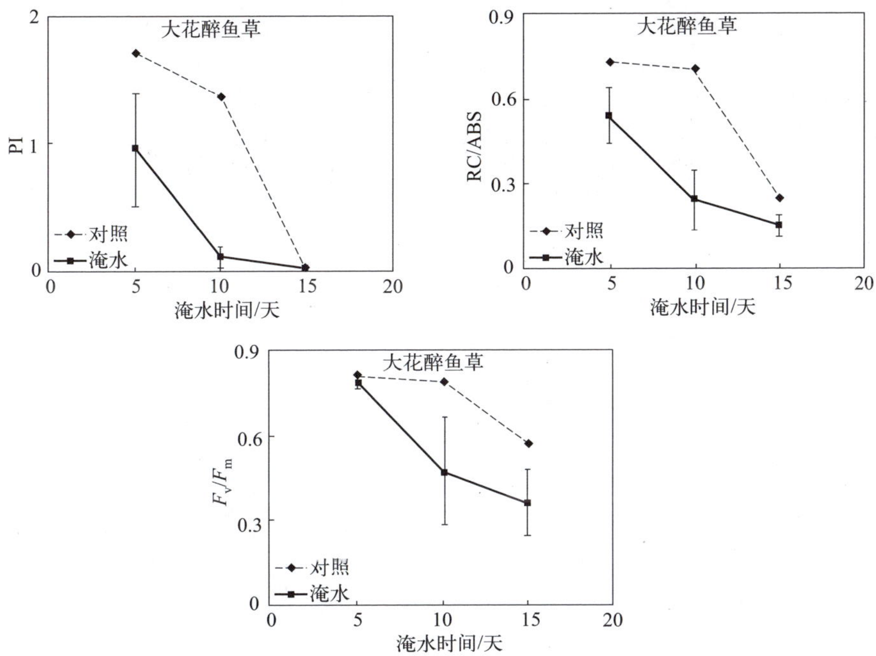

图 4-21 不同淹水处理条件下大花醉鱼草叶片的光合荧光潜能指数

4.4.4 淹水结束时地上部形态观测

淹水5天处理组植株枝干挺拔，叶片全部下垂，中下部叶片变黄，未出现叶片脱落和病虫害现象，观赏效果较差；淹水 10 天处理组植株茎干挺拔，叶片全部枯萎，观赏效果差；淹水 15 天处理组植株叶片全部枯萎，植株濒死，观赏效果差（图 4-22）。这表明淹水对大花醉鱼草地上部分形态的影响主要表现为叶片黄化、枯萎，甚至会使植株濒死。

对照组　　淹水5天

淹水10天　　淹水15天

图 4-22　不同淹水处理条件下大花醉鱼草地上部形态变化

4.4.5　淹水结束时根系形态观测

对照组根系中老根呈棕褐色，新根呈牙白色；淹水 5 天处理组根系较完整，呈棕黑色，新根根尖部位发黑；淹水 10 天和 15 天处理组，根系呈黑色或棕黑色，新根外周皮均全部脱落，露出白色髓心（图 4-23）。这表明淹水会对大花醉鱼草根系产生影响，且随淹水时间的增加，根系受害程度逐渐显著。

4.4.6　恢复养护后形态观测

恢复养护一个月后，淹水 5 天处理组植株恢复效果一般，部分茎尖与老叶变成黄褐色，植株全部从树干基部萌发新枝，生长势较好；淹水 10 天、15 天处理组植株恢复效果差，植株死亡（图 4-24）。

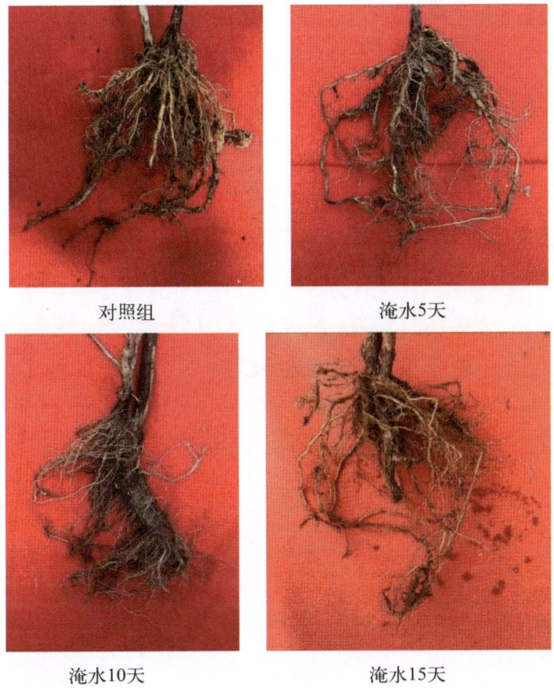

图 4-23 不同淹水处理条件下大花醉鱼草根系形态变化

图 4-24 不同淹水处理的大花醉鱼草恢复生长一个月后地上部形态变化

由表 4-4 可知，淹水处理组大花醉鱼草恢复养护一个月后，耐涝能力评价为极差，恢复养护至越冬后，耐涝能力评价仍为极差。

表 4-4　大花醉鱼草恢复养护后不同淹水处理组成活率、观赏效果及耐涝能力评价

恢复养护	淹水 5 天		淹水 10 天		淹水 15 天		耐涝能力评价
	成活率	观赏效果	成活率	观赏效果	成活率	观赏效果	
一个月	100%	2	0%	0	0%	0	极差
越冬后	0%	0	0%	0	0%	0	极差

综合来看，大花醉鱼草在淹水处理期间，叶片含水率和光合作用在短期内快速下降；植株形态和根系受损，且淹水时间越长，受损越严重，中期组与长期组叶片全部脱落；淹水植株恢复养护后恢复效果差，越冬后观赏效果差。

由此可知，大花醉鱼草的耐涝能力极差。

4.5 锦带花

4.5.1 叶片干鲜比、含水率、比叶重及比叶面积变化

淹水组锦带花的叶片干鲜比呈上升趋势，含水率呈下降趋势（图 4-25），叶片比叶重和比叶面积在淹水过程中基本保持稳定。

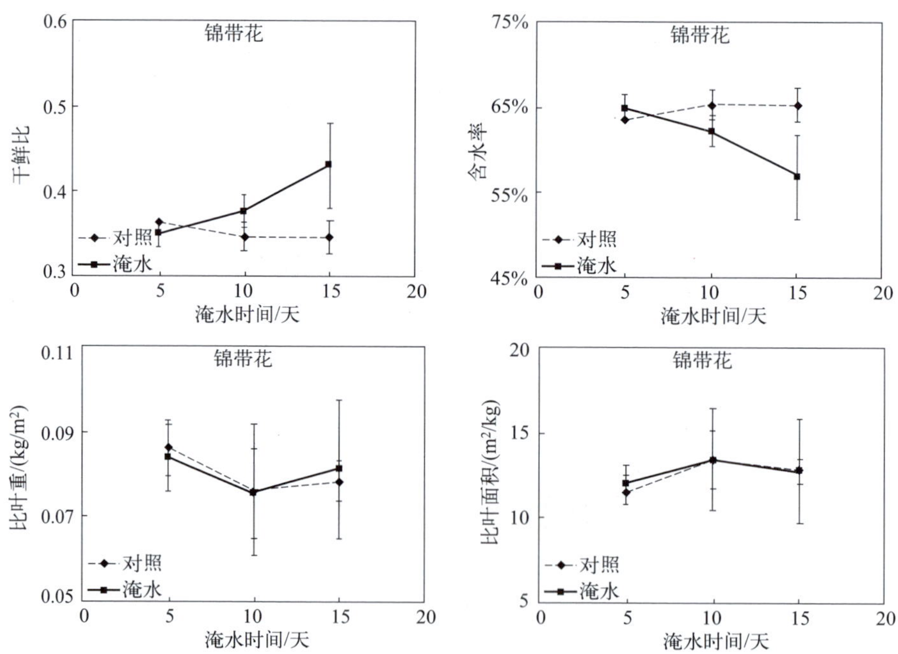

图 4-25　不同淹水处理条件下锦带花叶片的干鲜比、含水率、比叶重及比叶面积

4.5.2 叶片叶绿素含量变化

在淹水处理期间，锦带花的SPAD值基本保持稳定（图4-26）。

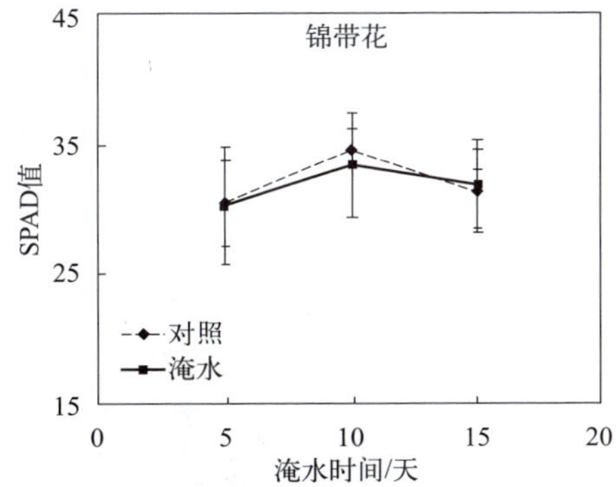

图 4-26 不同淹水处理条件下锦带花叶片的 SPAD 值

4.5.3 叶片光合荧光潜能指数变化

淹水处理组锦带花的光合荧光潜能指数低于对照组。通过光合敏感指数（PI）分析可知，淹水处理条件下锦带花处于妥胁迫状态，且随着淹水时间的延长，胁迫程度轻微加重（图4-27）。

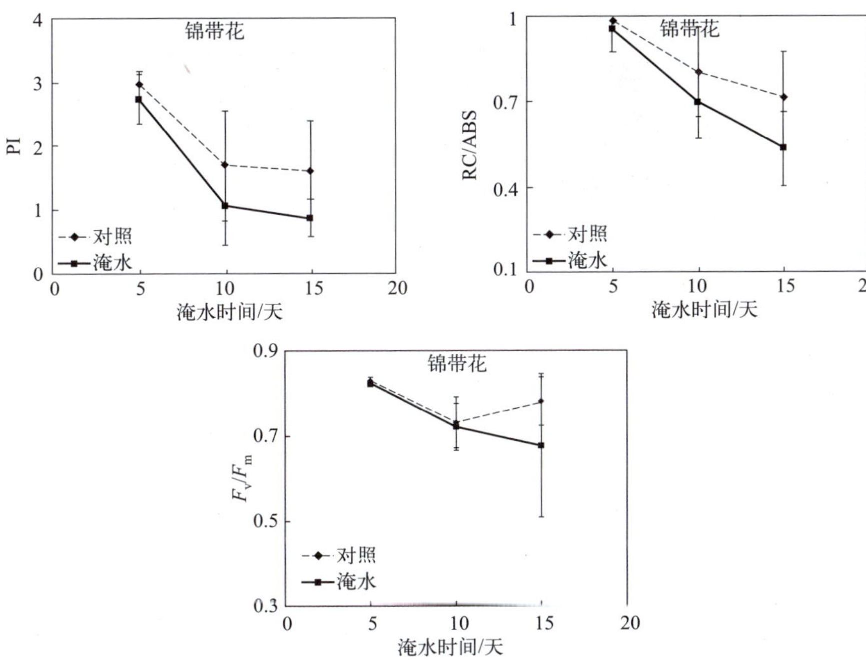

图 4-27 不同淹水处理条件下锦带花叶片的光合荧光潜能指数

4.5.4 淹水结束时地上部形态观测

淹水5天处理组植株枝干挺拔，未出现叶片脱落和病虫害现象，观赏效果好，地上部分生长势正常；淹水10天处理组植株茎干挺拔，部分茎尖及叶片下垂枯萎，未出现叶片脱落和虫害现象，观赏效果一般；淹水 15 天处理组大部分植株茎尖与叶片枯萎、变黄褐色，少量落叶，观赏效果较差（图 4-28）。这表明淹水对锦带花地上部分形态的影响主要表现为叶片枯萎。

对照组　淹水5天

淹水10天　淹水15天

图 4-28　不同淹水处理条件下锦带花地上部形态变化

4.5.5　淹水结束时根系形态观测

对照组根系中老根呈棕褐色，新根牙白色，淹水组根系完整。淹水 5 天和 10 天处理组新根呈灰白色；淹水 15 天处理组新根呈棕黄色，新根外周皮已全部脱落，露出白色髓心（图 4-29）。这表明淹水会对锦带花根系有一定影响，且随淹水时间的增加，根系受害程度逐渐加重。

4.5.6　恢复养护后形态观测

恢复养护一个月后，淹水 5 天处理组植株恢复效果一般，部分茎尖与老叶变成黄褐色，生长势一般；淹水 10 天处理组植株恢复效果不佳，大部分植株老叶变褐黄、萎蔫，生长势较差；淹水 15 天处理组植株恢复效果差，叶片全部变黄萎蔫（图 4-30）。

对照组

淹水5天

淹水10天

淹水15天

图 4-29 不同淹水处理条件下锦带花根系形态变化

对照组，养护1个月

淹水5天，恢复1个月

淹水10天，恢复1个月

淹水15天，恢复1个月

图 4-30 不同淹水处理的锦带花恢复生长一个月后地上部形态变化

由表 4-5 可知，淹水组的锦带花恢复养护至一个月后，耐涝能力评价为中，恢复养护至越冬后，耐涝能力评价为差。

表 4-5　锦带花恢复养护后不同淹水处理组成活率、观赏效果及耐涝能力评价

恢复养护	淹水 5 天		淹水 10 天		淹水 15 天		耐涝能力评价
	成活率	观赏效果	成活率	观赏效果	成活率	观赏效果	
一个月	100%	5	20%	3	0%	1	中
越冬后	75%	4	0%	0	0%	0	差

综合来看，在淹水处理期间，锦带花叶片含水率下降，比叶重和叶绿素含量都比较稳定，光合作用减弱，植株形态和根系受损，且淹水时间越长，受损越严重；经淹水处理过的植株，恢复养护后恢复效果一般，越冬后观赏效果差。

由此可知，锦带花的耐涝能力差。

4.6　胶东卫矛

4.6.1　叶片干鲜比、含水率、比叶重及比叶面积变化

淹水组胶东卫矛叶片的干鲜比总体呈上升趋势，含水率总体呈下降趋势（图 4-31）。淹水组胶东卫矛叶片的比叶重在淹水前期呈上升趋势，后期下降；比叶面积前期呈下降趋势，后期上升，但仍低于对照组。

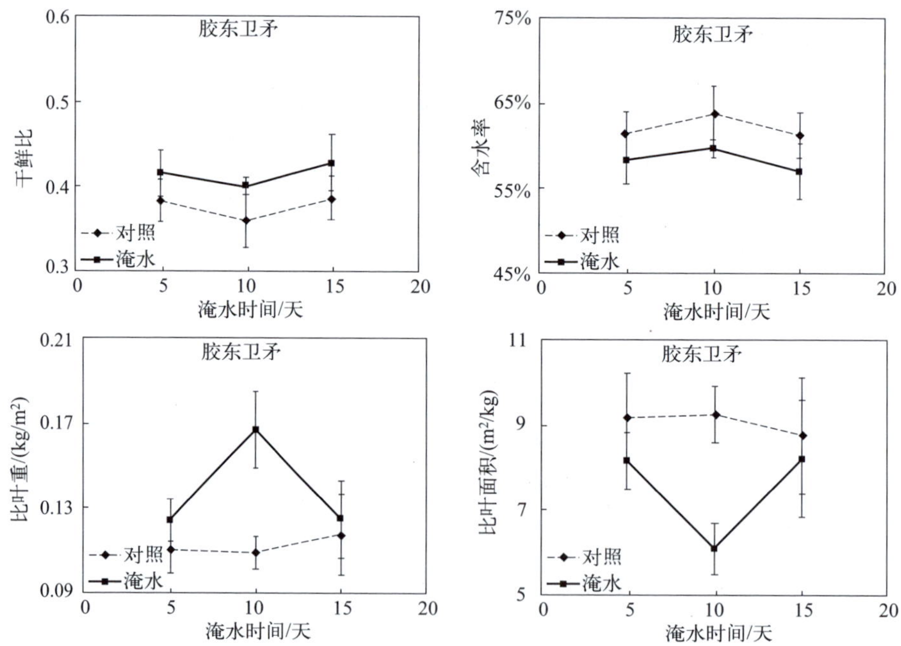

图 4-31　不同淹水处理条件下胶东卫矛叶片的干鲜比、含水率、比叶重及比叶面积

4.6.2 叶片叶绿素含量变化

在淹水处理期间，淹水组胶东卫矛的 SPAD 值始终高于对照组（图 4-32）。

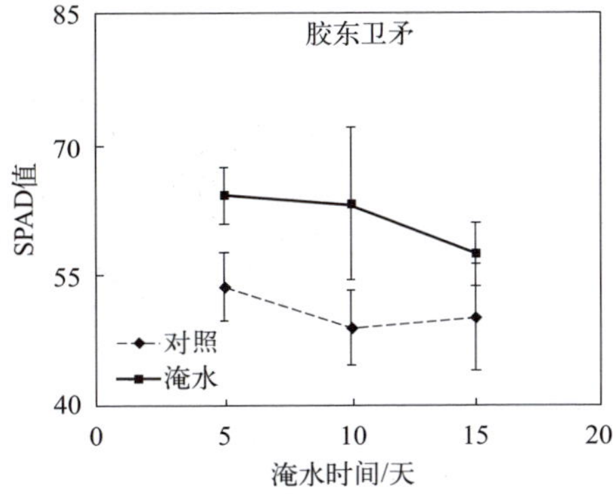

图 4-32 不同淹水处理条件下胶东卫矛叶片的 SPAD 值

4.6.3 叶片光合荧光潜能指数变化

在淹水处理期间，淹水组胶东卫矛的光合荧光潜能指数在前期（淹水 5 天）高于对照组，多数在后期（淹水 10 天、15 天）低于对照组（图 4-33）。

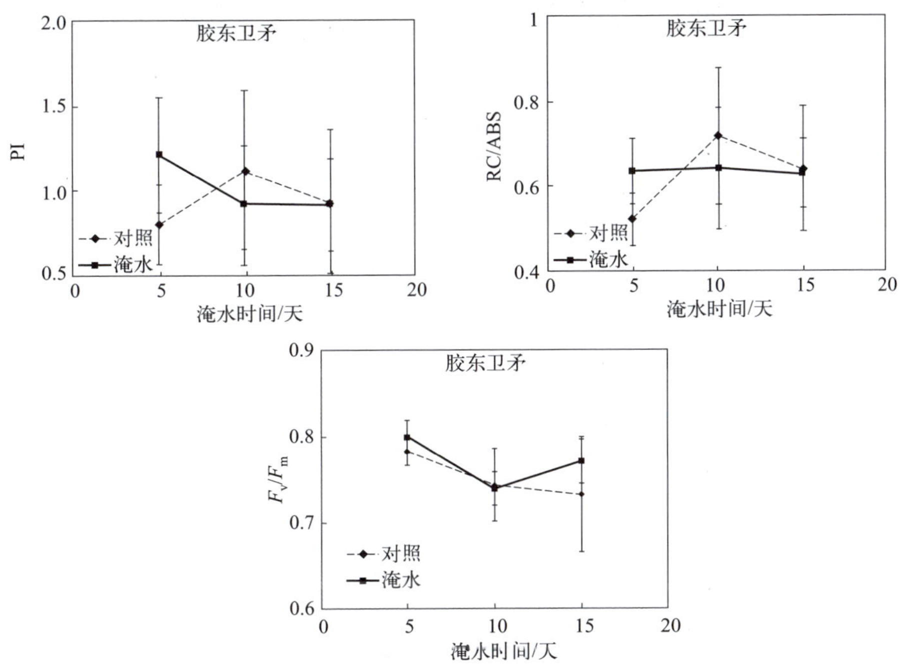

图 4-33 不同淹水处理条件下胶东卫矛叶片的光合荧光潜能指数

4.6.4 淹水结束时地上部形态观测

淹水组植株叶色翠绿，未出现叶片脱落和病虫害现象，观赏效果好，地上部分生长势正常（图 4-34）。这表明淹水对胶东卫矛地上部形态的影响较小。

图 4-34 不同淹水处理条件下胶东卫矛地上部形态变化

4.6.5 淹水结束时根系形态观测

对照组根系呈花白色，淹水组根系完整，呈土黄色（图 4-35），表明淹水对胶东卫矛根系产生的影响较小。

4.6.6 恢复养护后形态观测

恢复养护一个月后，淹水 5 天处理组植株株型丰满，叶色翠绿，长势强于对照组；淹水 10 天和 15 天组植株均有少数叶片褪绿变黄，生长势较正常（图 4-36）。

由表 4-6 可知，淹水处理组的胶东卫矛恢复养护一个月后，耐涝能力评价为极强，恢复养护至越冬后，耐涝能力评价为差。

表 4-6 胶东卫矛恢复养护后不同淹水处理组成活率、观赏效果及耐涝能力评价

恢复养护	淹水 5 天		淹水 10 天		淹水 15 天		耐涝能力评价
	成活率	观赏效果	成活率	观赏效果	成活率	观赏效果	
一个月	100%	5	100%	4	100%	4	极强
越冬后	75%	3	100%	2	50%	3	差

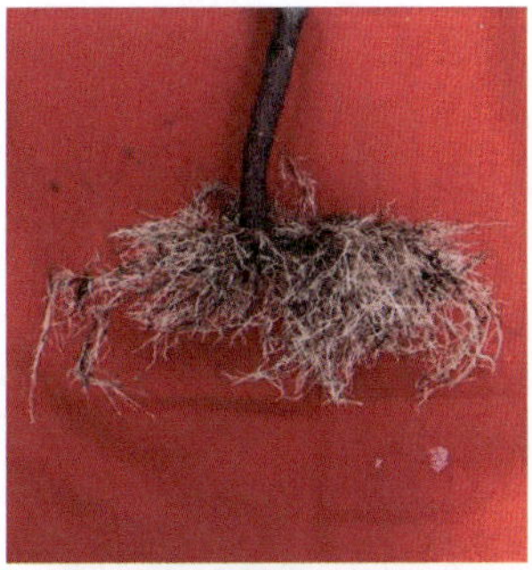

对照组

淹水5天

淹水10天

淹水15天

图 4-35 不同淹水处理条件下胶东卫矛根系形态变化

对照组，养护1个月

淹水5天，恢复1个月

淹水10天，恢复1个月

淹水15天，恢复1个月

图 4-36 不同淹水处理的胶东卫矛恢复生长一个月后地上部形态变化

综合来看，胶东卫矛在淹水处理期间，叶片含水率下降、有机物含量增多，叶绿素含量增多，光合作用先增强后减弱，植株形态和根系受影响较小；恢复养护后，植株恢复效果良好，但越冬后观赏效果较差。由此可知，胶东卫矛的耐涝能力差。

4.7 紫荆

4.7.1 叶片干鲜比、含水率、比叶重及比叶面积变化

在淹水处理期间，紫荆叶片的干鲜比下降，含水率上升；淹水组比叶重低于对照组，比叶面积反之（图 4-37）。这表明淹水使得叶片含水率增多，叶片有机物含量减少。

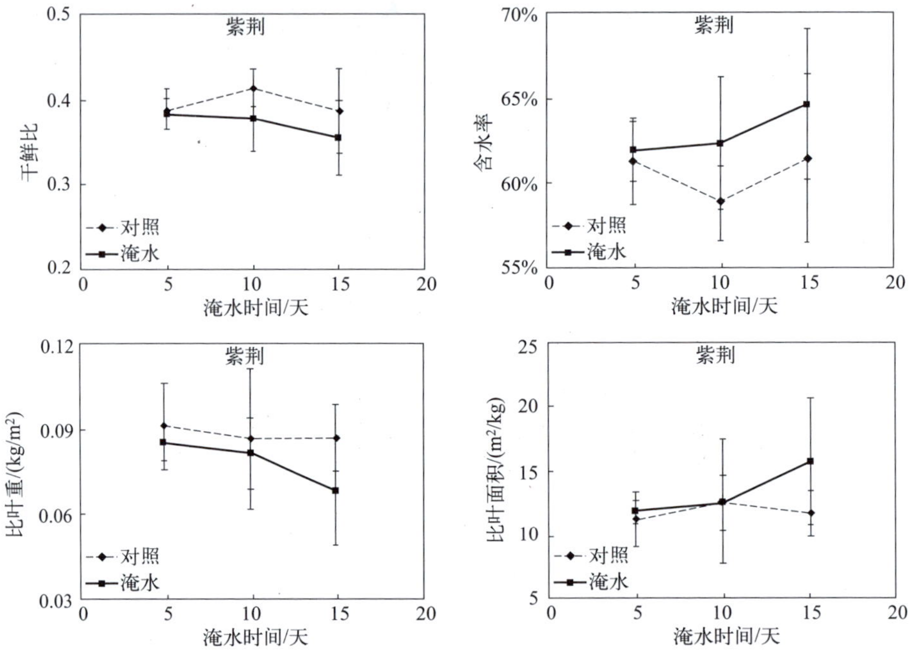

图 4-37　不同淹水处理条件下紫荆叶片的干鲜比、含水率、比叶重及比叶面积

4.7.2 叶片叶绿素含量变化

在淹水处理期间，紫荆叶片的 SPAD 值先上升后下降（图 4-38）。

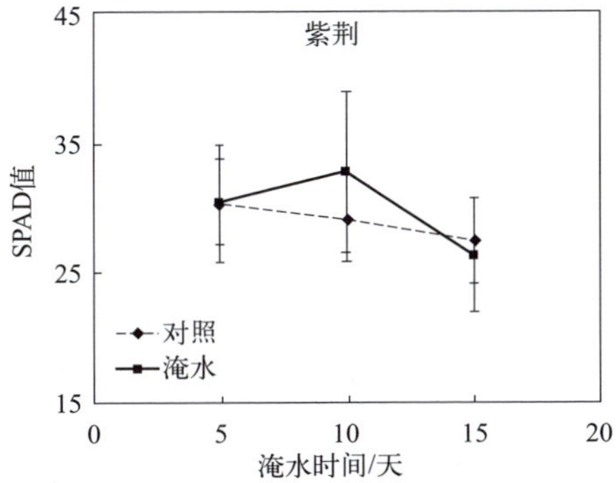

图 4-38 不同淹水处理条件下紫荆叶片的 SPAD 值

4.7.3 叶片光合荧光潜能指数变化

在淹水期间，紫荆的光合荧光潜能指数始终高于对照组，通过图 4-39 中各曲线可知，紫荆叶片光合作用中的原初反应和光系统活性均被促进，表明淹水促进了紫荆的光合作用。

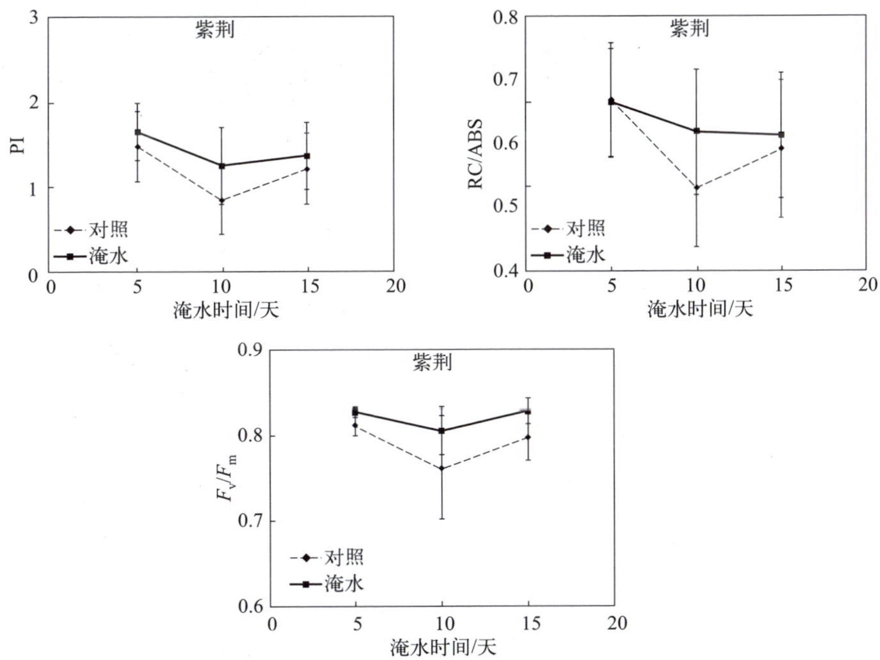

图 4-39 不同淹水处理条件下紫荆叶片的光合荧光潜能指数

4.7.4 淹水结束时地上部形态观测

淹水 5 天处理组的植株有少量叶片变黄，未出现叶片脱落和病虫害现象，观赏效果好，地上部分生长势正常；淹水 10 天处理组植株部分叶片褪色变黄，未出现叶片脱落和虫害现象，观赏效果较好；淹水 15 天处理组植株中下部部分叶片变黄，几乎无落叶，观赏效果较好（图 4-40）。这表明淹水对紫荆地上部形态的影响主要表现为叶片黄化。

图 4-40 不同淹水处理条件下紫荆地上部形态变化

4.7.5 淹水结束时根系形态观测

对照组根系中老根呈棕褐色，新根呈牙白色；淹水组根系完整；淹水 5 天、10 天处理组老根呈棕黑色，新根呈灰白色；淹水 15 天处理组老根呈棕黄色。根系这些变化与叶片褪绿变黄相对应（图 4-41）。这表明淹水会对紫荆根系产生影响，且随淹水时间的增加，根系受害逐渐显著。

4.7.6 恢复养护后形态观测

恢复养护一个月后，对照组植株叶片出现少量变黄的现象；淹水组植株恢复效果较好，少量叶片变黄；淹水 15 天处理组植株生长势正常，褪绿变黄叶片略多于其他淹水组植株（图 4-42）。

图 4-41 不同淹水处理条件下紫荆根系形态变化

图 4-42 不同淹水处理的紫荆恢复生长一个月后地上部形态变化

由表 4-7 可知，淹水组紫荆恢复养护一个月后，耐涝能力评价为极强，恢复养护至越冬后，耐涝能力评价为差。

表 4-7　紫荆恢复养护后不同淹水处理组成活率、观赏效果及耐涝能力评价

恢复养护	淹水 5 天		淹水 10 天		淹水 15 天		耐涝能力评价
	成活率	观赏效果	成活率	观赏效果	成活率	观赏效果	
一个月	100%	5	100%	5	100%	5	极强
越冬后	75%	2	0%	0	0%	0	差

综合来看，紫荆在淹水处理期间，叶片含水率升高，叶绿素含量基本稳定，光合作用增强，植株形态和根系受损，且淹水时间越长，受损越严重。经淹水处理的植株恢复养护后恢复效果良好，越冬后观赏效果差。

由此可知，紫荆的耐涝能力差。

4.8　金叶女贞

4.8.1　叶片干鲜比、含水率、比叶重及比叶面积变化

淹水 5 天、10 天的植物叶片干鲜比高于对照组，淹水 15 天的植物叶片干鲜比与对照组相近，淹水组植物比叶重高于对照组，比叶面积反之（图 4-43）。

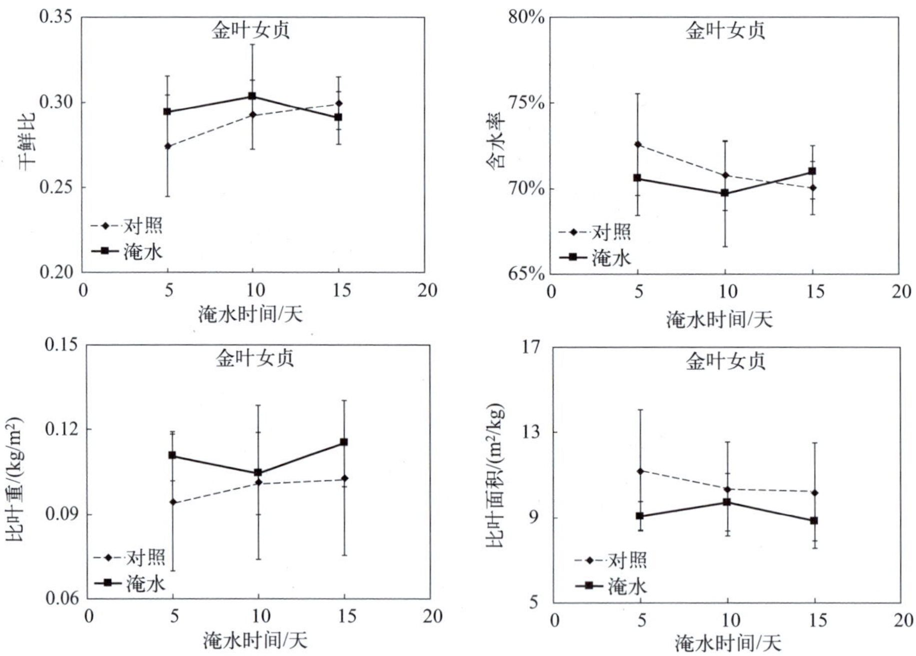

图 4-43　不同淹水处理条件下金叶女贞叶片的干鲜比、含水率、比叶重及比叶面积

4.8.2 叶片叶绿素含量变化

在淹水处理期间，金叶女贞的 SPAD 值普遍高于对照组（图 4-44）。

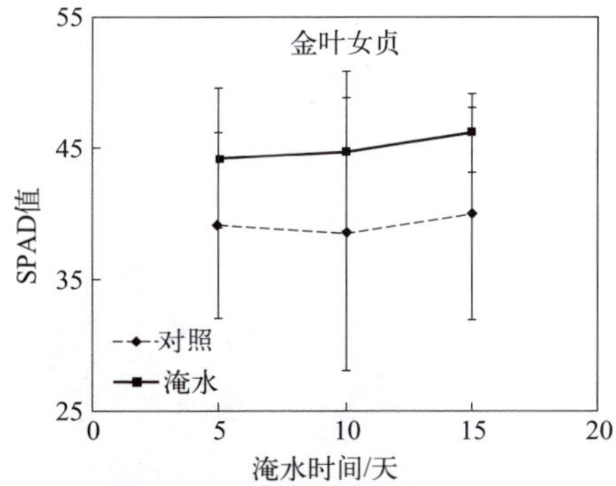

图 4-44 不同淹水处理条件下金叶女贞叶片的 SPAD 值

4.8.3 叶片光合荧光潜能指数变化

淹水处理组金叶女贞的光合荧光潜能指数多数低于对照组（图 4-45），通过光合敏感指数 PI 可以看出，淹水处理条件下金叶女贞处于受胁迫状态，随着淹水时间的延长胁迫程度加重。

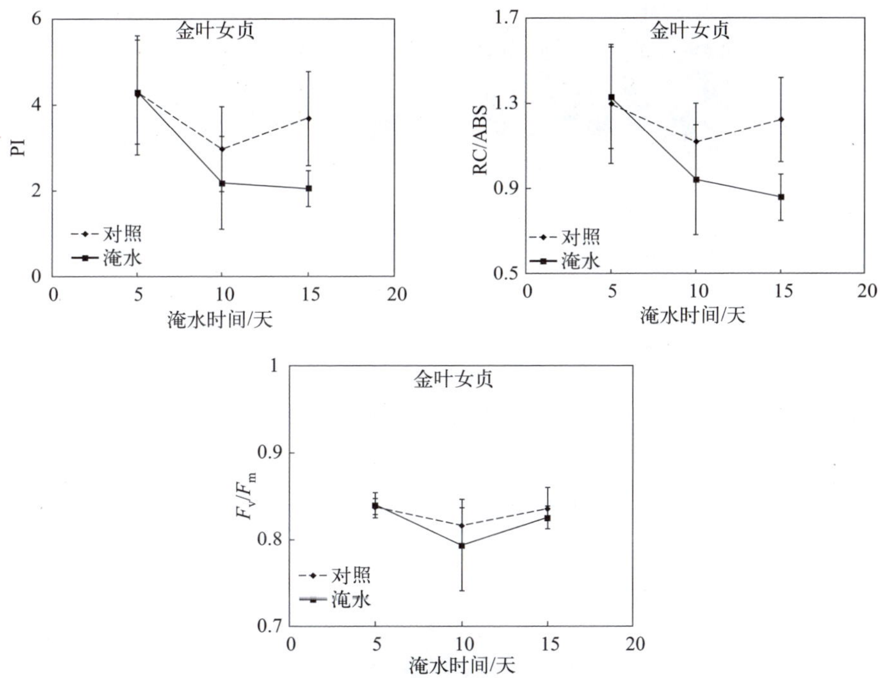

图 4-45 不同淹水处理条件下金叶女贞叶片的光合荧光潜能指数

4.8.4 淹水结束时地上部形态观测

淹水组植株枝干全部挺拔，未出现叶片脱落和病虫害现象，各组地上部分生长势正常，观赏效果良好（图 4-46）。这表明淹水对金叶女贞地上形态的影响较小。

对照组　淹水5天

淹水10天　淹水15天

图 4-46　不同淹水处理条件下金叶女贞地上部形态变化

4.8.5　淹水结束时根系形态观测

对照组根系的老根呈土黄色；淹水组根系完整；淹水 5 天处理组，老根呈土黄色；淹水 10 天处理组，老根呈发灰的土黄色；淹水 15 天处理组，老根呈灰土黄色（图 4-47）。这表明淹水会对金叶女贞根系产生一定的影响。

4.8.6　恢复养护后形态观测

恢复养护一个月后，淹水 5 天处理组植株恢复效果较好，少量叶片褪绿，生长势正常；淹水 10 天处理组植株恢复效果一般，植株中下部及部分叶片枯萎；淹水 15 天处理组植株恢复效果不佳，少量叶片枯萎、变色甚至落叶（图 4-48）。

由表 4-8 可知，淹水组金叶女贞恢复养护一个月后，耐涝能力评价为中，恢复养护至越冬后，耐涝能力评价为差。

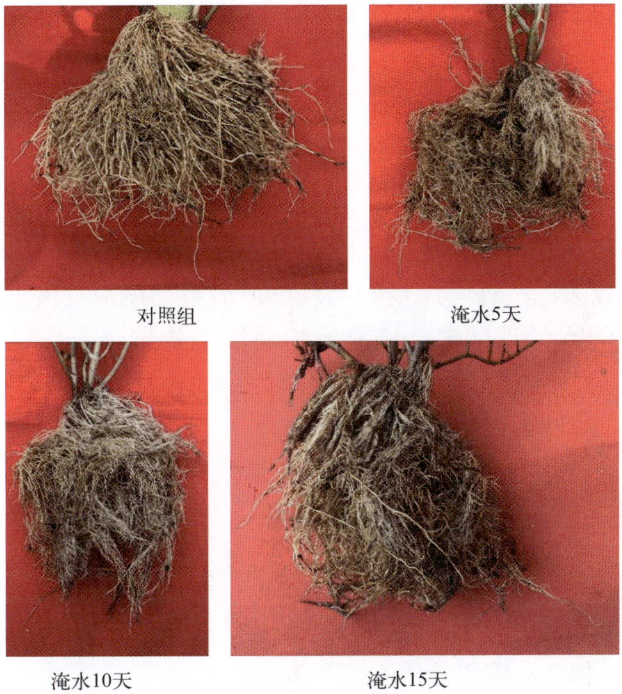

图 4-47 不同淹水处理条件下金叶女贞根系形态变化

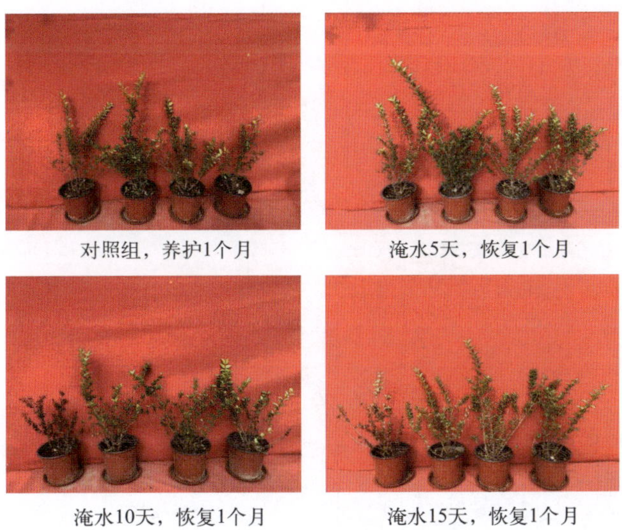

图 4-48 不同淹水处理的金叶女贞恢复生长一个月后地上部形态变化

表 4-8　金叶女贞恢复养护后不同淹水处理组成活率、观赏效果及耐涝能力评价

恢复养护	淹水 5 天		淹水 10 天		淹水 15 天		耐涝能力评价
	成活率	观赏效果	成活率	观赏效果	成活率	观赏效果	
一个月	100%	5	60%	4	80%	3	中
越冬后	25%	4	75%	4	50%	3	差

综合来看，金叶女贞在淹水处理期间，叶片含水率下降，叶绿素含量升高，光合作用减弱，植株形态受影响较小，根系受损，且淹水时间越长，受损越严重；经淹水处理的植株恢复养护后恢复效果一般，越冬后观赏效果较差。

由此可知，金叶女贞的耐涝能力差。

4.9　金银木

4.9.1　叶片干鲜比、含水率、比叶重及比叶面积变化

在淹水处理期间，金银木的干鲜比先上升后下降，含水率先下降后上升，比叶重和比叶面积与对照组相差不大（图 4-49）。

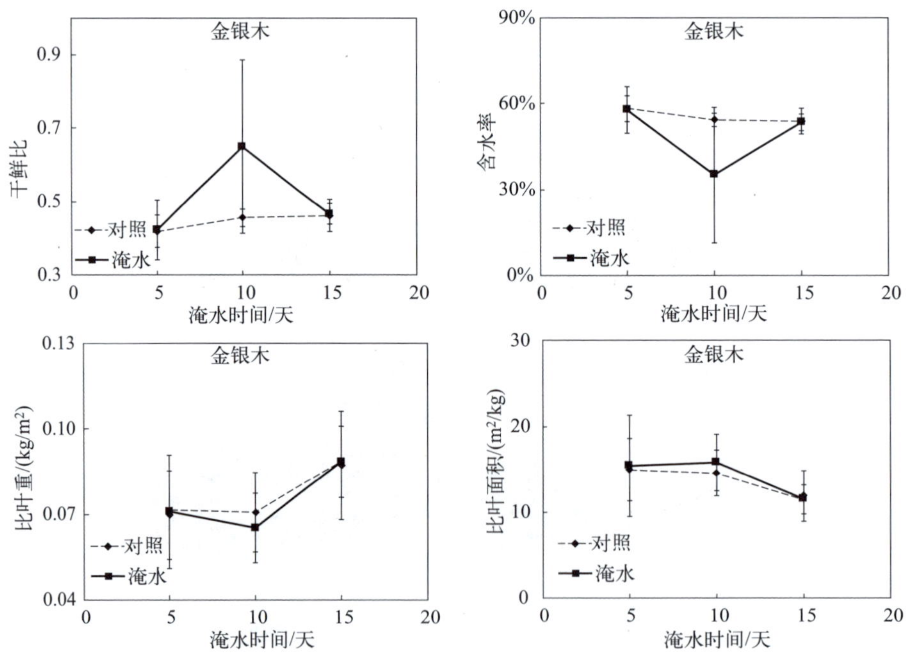

图 4-49　不同淹水处理条件下金银木叶片的干鲜比、含水率、比叶重及比叶面积

4.9.2 叶片叶绿素含量变化

在淹水处理期间，金银木的 SPAD 值与对照组相近（图 4-50）。

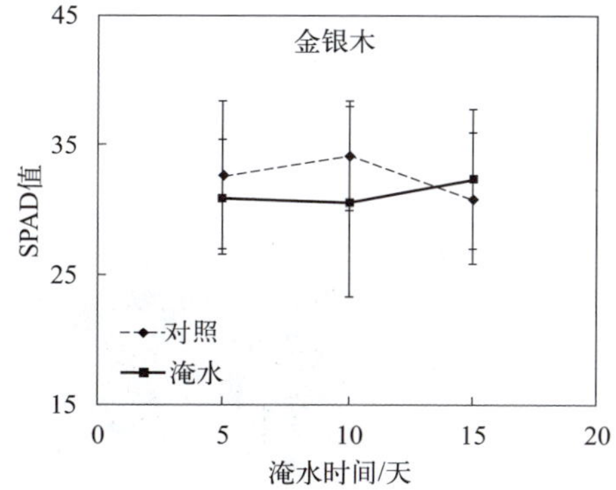

图 4-50 不同淹水处理条件下金银木叶片的 SPAD 值

4.9.3 叶片光合荧光潜能指数变化

在淹水处理期间，淹水处理组金银木的光合荧光潜能指数多数低于对照组，通过光合敏感指数 PI（图 4-51）可以看出，淹水处理条件下金银木处于受胁迫状态。

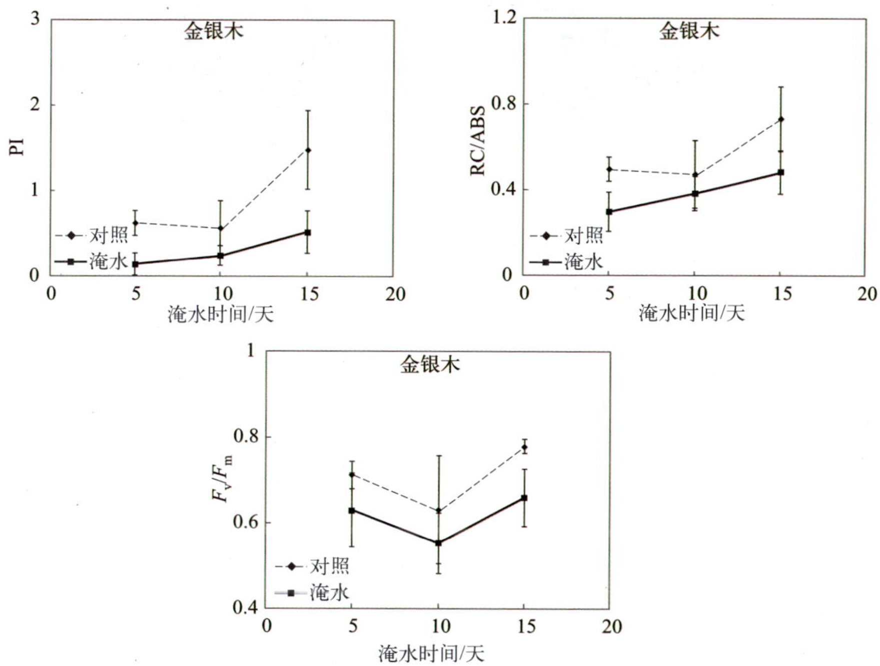

图 4-51 不同淹水处理条件下金银木叶片的光合荧光潜能指数

4.9.4 淹水结束时地上部形态观测

淹水 5 天处理组植株枝干挺拔，有紫红色叶片从树干基部萌生，未出现叶片脱落和病虫害现象，观赏效果优于对照组；淹水 10 天、15 天处理组植株茎干挺拔，更多新枝从树干基部萌生，未出现叶片脱落和虫害现象，观赏效果好（图 4-52）。这表明淹水对金银木地上形态的影响主要表现为萌生新叶。

图 4-52 不同淹水处理条件下金银木地上部形态变化

4.9.5 淹水结束时根系形态观测

对照组根系中，老根呈棕褐色，新根呈牙白色；淹水 5 天处理组根系完整，呈棕褐色；淹水 10 天处理组，老根呈黑色，新根呈灰白色；淹水 15 天处理组，根系呈灰白色（图 4-53）。这表明淹水会对金银木的根系产生影响，且随淹水时间增加，根系受害逐渐显著。

4.9.6 恢复养护后形态观测

恢复养护一个月后，淹水 5 天处理组植株恢复效果很好，生长势旺盛；淹水 10 天处理组植株恢复效果一般，大部分植株出现叶片自树干基部枯萎甚至落叶的情况；淹水 15 天处理组植株恢复效果不佳，叶片全部变黄或萎蔫，但仍有一半植株从树干基部萌生出新芽（图 4-54）。

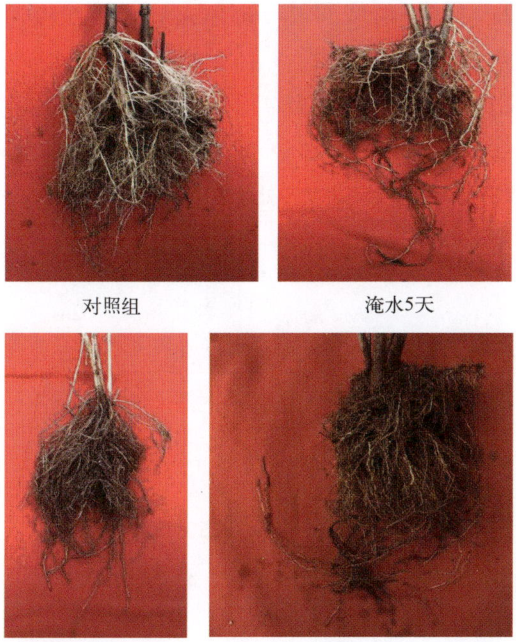

对照组　淹水5天

淹水10天　淹水15天

图 4-53　不同淹水处理条件下金银木根系形态变化

对照组，养护1个月　淹水5天，恢复1个月

淹水10天，恢复1个月　淹水15天，恢复1个月

图 4-54　不同淹水处理的金银木恢复生长一个月后地上部形态变化

综合来看，在淹水处理期间，金银木的叶片含水率先降低后升高，有机物和叶绿素含量都比较稳定，光合作用减弱，植株形态未受到明显影响，但根系

受损，且淹水时间越长，受损越严重；经淹水处理的植株，恢复养护后恢复效果一般，越冬后观赏效果较好。

由表 4-9 可知，金银木的耐涝能力为中。

表 4-9 金银木恢复养护后不同淹水处理组成活率、观赏效果及耐涝能力评价

恢复养护	淹水 5 天		淹水 10 天		淹水 15 天		耐涝能力评价
	成活率	观赏效果	成活率	观赏效果	成活率	观赏效果	
一个月	100%	5	80%	1	40%	1	中
越冬后	100%	5	100%	4	50%	3	强

4.10 扶芳藤

4.10.1 叶片干鲜比、含水率、比叶重及比叶面积变化

在淹水处理期间，扶芳藤叶片的含水率先升高后降低，干鲜比和比叶重逐渐升高，比叶面积下降（图 4-55）。

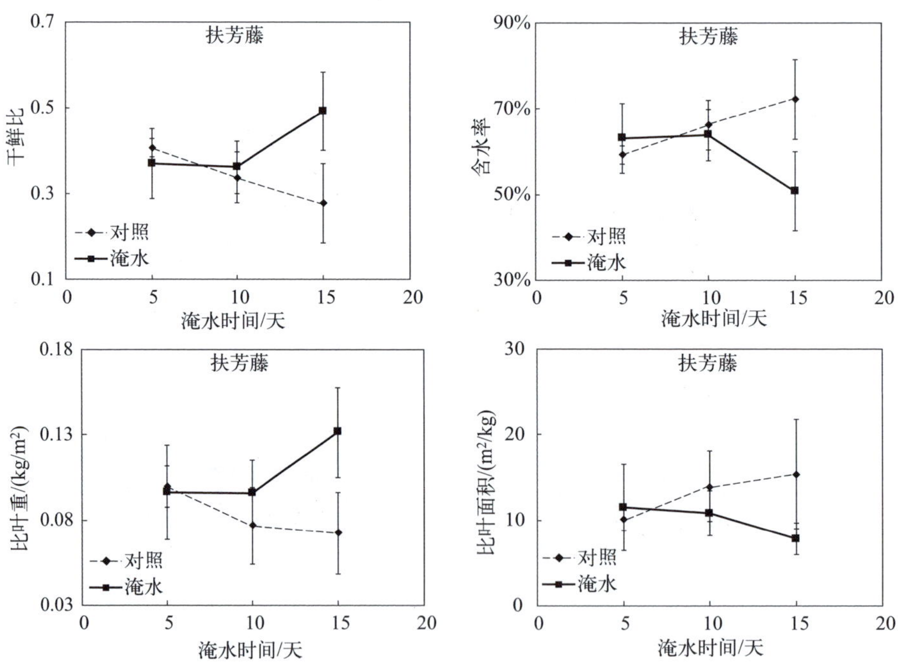

图 4-55 不同淹水处理条件下扶芳藤叶片的干鲜比、含水率、比叶重及比叶面积

4.10.2 叶片叶绿素含量变化

在淹水处理期间，扶芳藤的 SPAD 值总体呈下降趋势（图 4-56）。

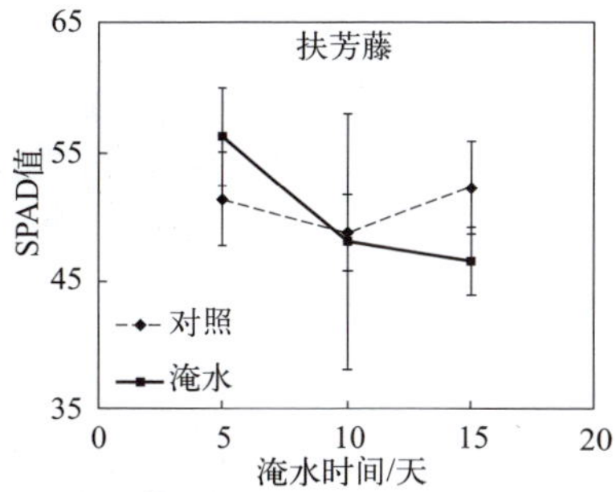

图 4-56 不同淹水处理条件下扶芳藤叶片的 SPAD 值

4.10.3 叶片光合荧光潜能指数变化

在淹水处理期间，扶芳藤的光合荧光潜能指数前期（淹水 5 天）大于对照组，后期（淹水 10 天、15 天）小于对照组（图 4-57）。

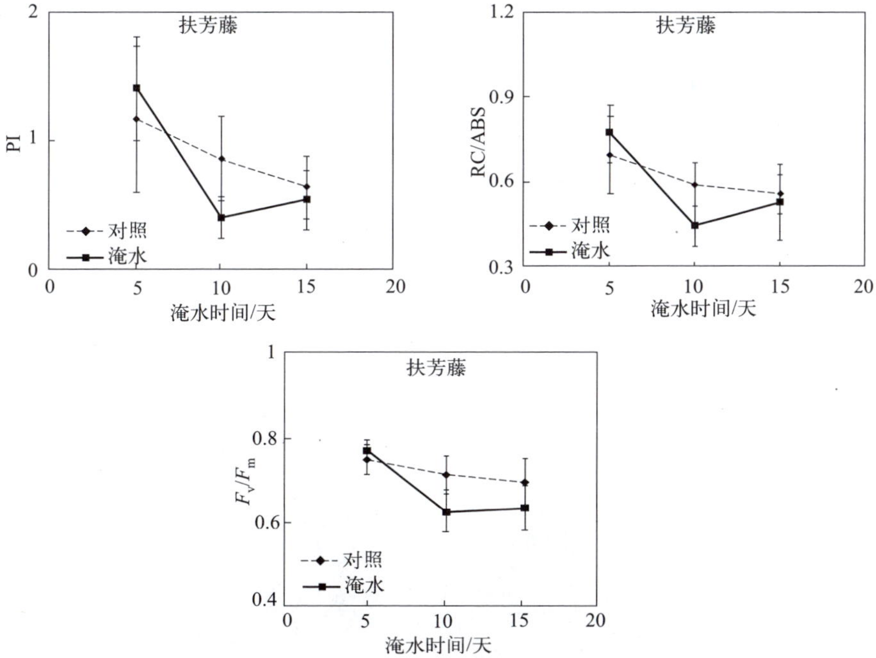

图 4-57 不同淹水处理条件下扶芳藤叶片的光合荧光潜能指数

4.10.4 淹水结束时地上部形态观测

淹水 5 天处理组植株有少量叶片变黄，未出现叶片脱落和病虫害现象，地上部分生长势正常，观赏效果好；淹水 10 天处理组植株有部分叶片褪色变黄，未出现叶片脱落和虫害现象，观赏效果较好；淹水 15 天处理组植株有少量落叶，观赏效果较好（图 4-58）。这表明淹水对扶芳藤地上形态的影响主要表现为叶片黄化，甚至落叶。

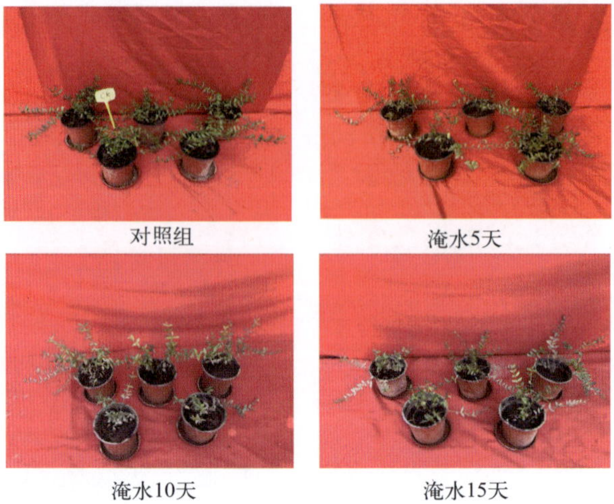

图 4-58　不同淹水处理条件下扶芳藤地上部形态变化

4.10.5　淹水结束时根系形态观测

对照组根系中老根呈土黄色；淹水组根系完整；淹水 5 天处理组根系呈深土黄色；淹水 10 天处理组根系呈花白色；淹水 15 天处理组根系呈花白色（图 4-59）。这表明淹水对扶芳藤根系产生的影响较小。

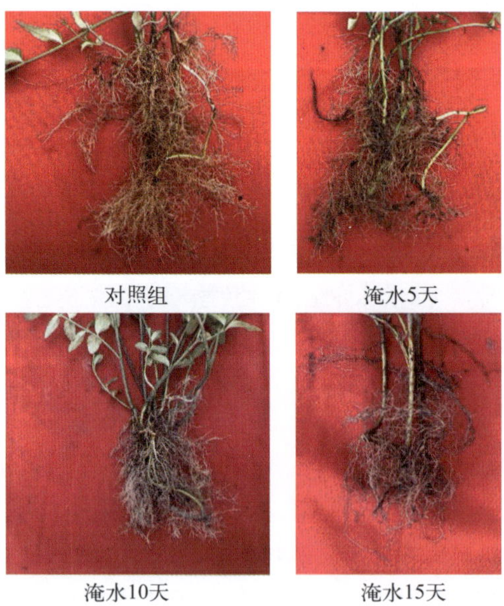

图 4-59　不同淹水处理条件下扶芳藤根系形态变化

4.10.6 恢复养护后形态观测

恢复养护一个月后，淹水 5 天处理组植株恢复效果较好，有少量叶片褪绿，生长势正常；淹水 10 天处理组植株恢复效果较好，部分枝端及叶片褪绿变黄，生长势较强；淹水 15 天处理组植株恢复效果较好，有少量叶片褪绿发黄（图 4-60）。

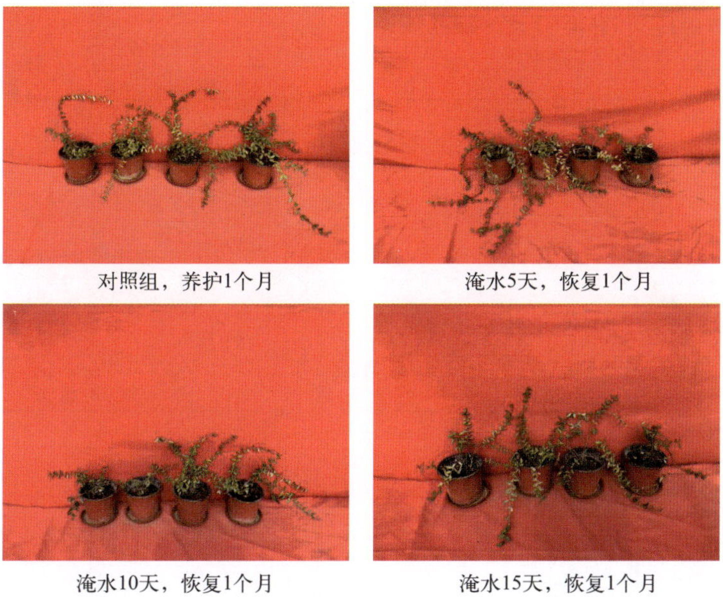

图 4-60 不同淹水处理的扶芳藤恢复生长一个月后地上部形态变化

由表 4-10 可知，淹水组扶芳藤恢复养护一个月后，耐涝能力评价为极强；恢复养护至越冬后，耐涝能力评价为差。

表 4-10 扶芳藤恢复养护后不同淹水处理成活率、观赏效果及耐涝能力评价

恢复养护	淹水 5 天		淹水 10 天		淹水 15 天		耐涝能力评价
	成活率	观赏效果	成活率	观赏效果	成活率	观赏效果	
一个月	100%	5	100%	5	100%	5	极强
越冬后	75%	3	100%	3	0%	0	差

综合来看，在淹水处理期间，扶芳藤叶片含水率先上升后降低，有机物含量增多，光合作用减弱，植株形态和根系受影响较小；经淹水处理的植株，恢复养护后效果较好，越冬后观赏效果差。

由此可知，扶芳藤的耐淹水能力差。

4.11 木槿

4.11.1 叶片干鲜比、含水率、比叶重及比叶面积变化

在淹水处理期间，淹水组木槿叶片的含水率和比叶面积先上升后下降，但始终低于对照组（图 4-61）。

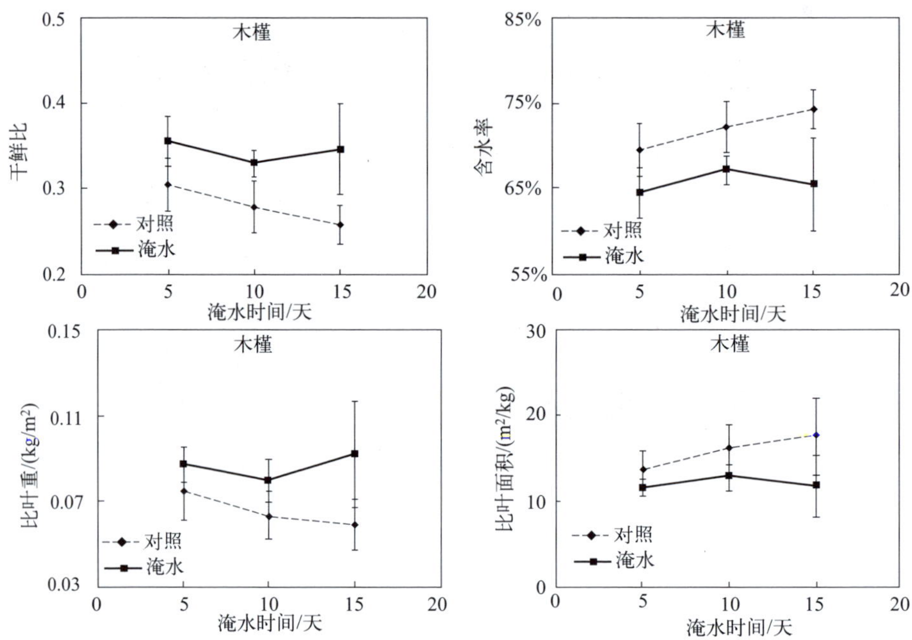

图 4-61 不同淹水处理条件下木槿叶片的干鲜比、含水率、比叶重及比叶面积

4.11.2 叶片叶绿素含量变化

在淹水处理期间，木槿的 SPAD 值先是高于对照组，后低于对照组，最后与对照组趋于一致（图 4-62）。

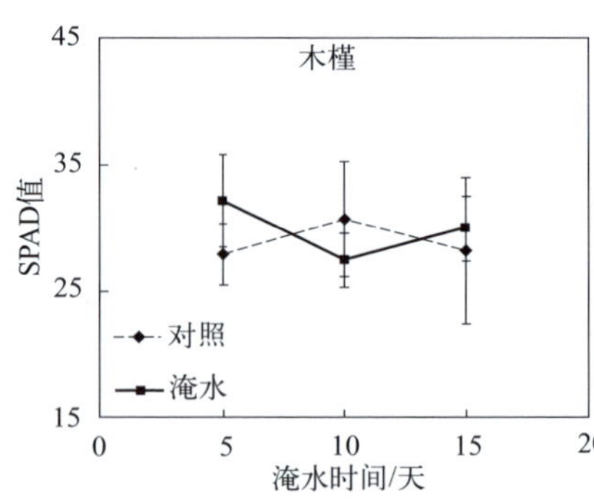

图 4-62 不同淹水处理条件下木槿叶片的 SPAD 值

4.11.3 叶片光合荧光潜能指数变化

淹水处理组木槿的光合荧光潜能指数多数低于对照组，通过光合敏感指数 PI（图 4-63）可以看出，淹水处理条件下木槿处于受胁迫状态。

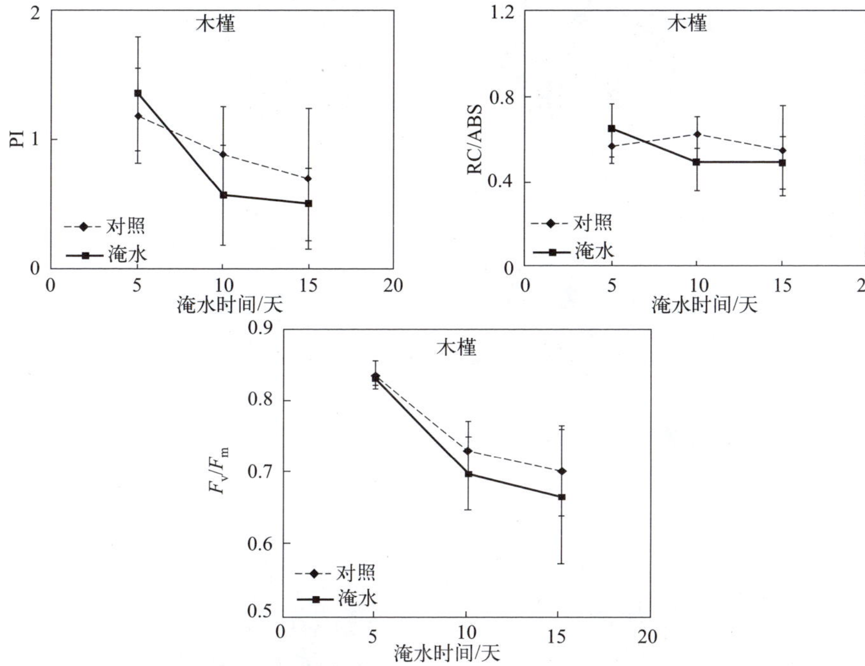

图 4-63 不同淹水处理条件下木槿叶片的光合荧光潜能指数

4.11.4 淹水结束时地上部形态观测

淹水 5 天处理组植株枝干挺拔，有少许叶片发黄，未出现叶片脱落和病虫害现象，观赏效果好，地上部分生长势正常；淹水 10 天处理组植株茎干挺拔，植株中下部部分叶片呈黄绿色，未出现叶片脱落和虫害现象，观赏效果一般；淹水 15 天处理组植株中下部部分叶片呈黄绿色，有少量黄叶，观赏效果一般（图 4-64）。这表明淹水对木槿地上形态的影响主要表现为叶片黄化。

4.11.5 淹水结束时根系形态观测

对照组根系呈土黄色；淹水 5 天处理组的根系完整，呈深土黄色；淹水 10 天处理组老根呈花白色；淹水 15 天处理组根系呈灰白色。根系这些变化与叶片部分褪绿发黄相关联（图 4-65）。这表明淹水会对木槿根系产生影响，且随淹水时长的增加，根系受害逐渐显著。

图 4-64 不同淹水处理条件下木槿地上部形态变化

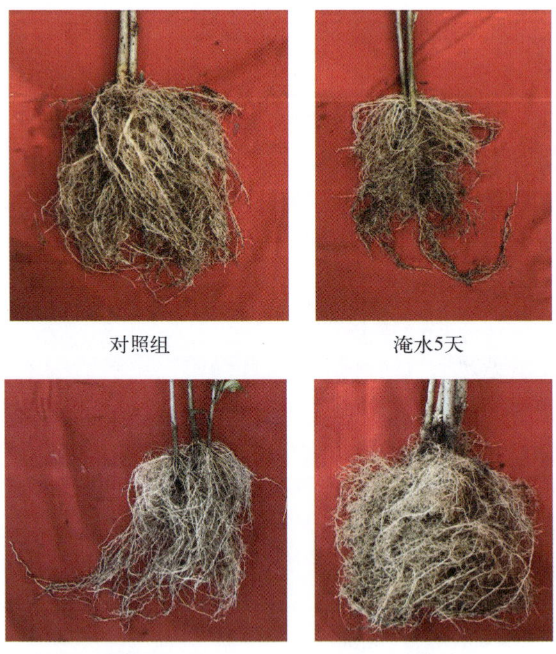

图 4-65 不同淹水处理条件下木槿根系形态变化

4.11.6 恢复养护后形态观测

恢复养护一个月后，淹水 5 天处理组植株恢复效果良好，生长势正常；淹水 10 天处理组植株恢复效果较好，中下部少量叶片变为黄绿色，部分枝条、叶片发黄枯萎；淹水 15 天处理组植株恢复效果一般，中下部部分叶片均匀褪绿，呈黄绿色，部分枝条、叶片枯萎（图 4-66）。

图 4-66 不同淹水处理的木槿恢复生长一个月后地上部形态变化

综合来看，木槿在淹水处理期间，叶片含水率先上升后下降，叶绿素含量比较稳定，光合作用大多减弱，植株形态和根系受损，且淹水时间越长，受损越严重；经淹水处理的植株，恢复养护后恢复效果较好，越冬后观赏效果差（表 4-11）。

表 4-11 木槿恢复养护后不同淹水处理组成活率、观赏效果及耐涝能力评价

恢复养护	淹水 5 天		淹水 10 天		淹水 15 天		耐涝能力评价
	成活率	观赏效果	成活率	观赏效果	成活率	观赏效果	
一个月	100%	5	100%	4	100%	3	强
越冬后	100%	3	50%	2	25%	3	差

由此可知，木槿的耐涝能力差。

4.12 连翘

4.12.1 叶片干鲜比、含水率、比叶重及比叶面积变化

淹水组连翘叶片的干鲜比呈上升趋势，含水率呈下降趋势（图 4-67）。淹水组连翘的叶片比叶重在淹水过程中基本保持稳定，比叶面积略呈下降趋势。

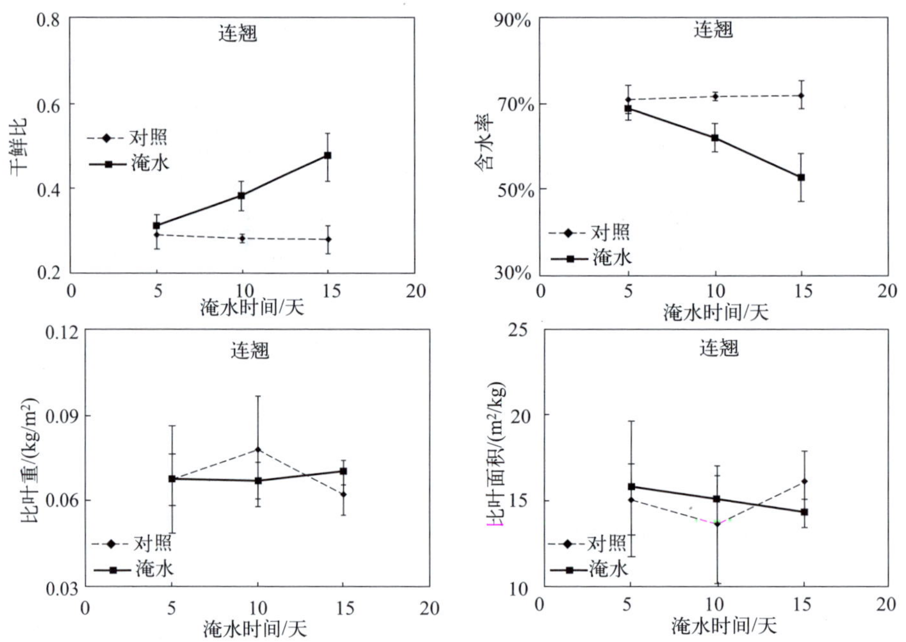

图 4-67 不同淹水处理条件下连翘叶片的干鲜比、含水率、比叶重及比叶面积

4.12.2 叶片叶绿素含量变化

在淹水处理期间，连翘的 SPAD 值先低于对照组，后高于对照组（图 4-68）。可能是由于叶片含水率降低，叶绿素单位面积含量增多。

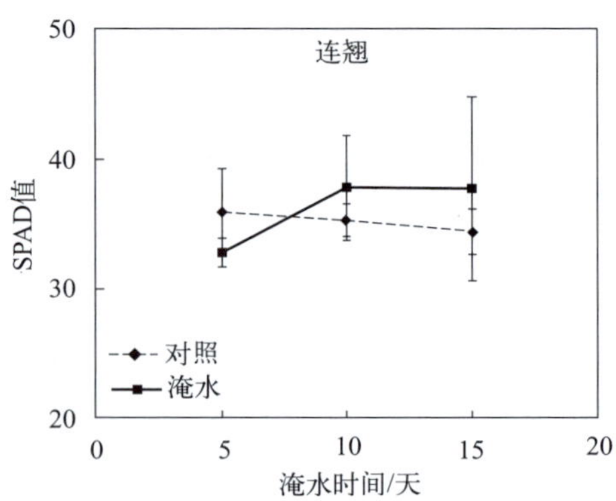

图 4-68 不同淹水处理条件下连翘叶片的 SPAD 值

4.12.3 叶片光合荧光潜能指数变化

在淹水处理期间，淹水组连翘的光合荧光潜能指数整体呈下降趋势，

前期下降快，后期略有上升（图 4-69），但仍低于对照组。

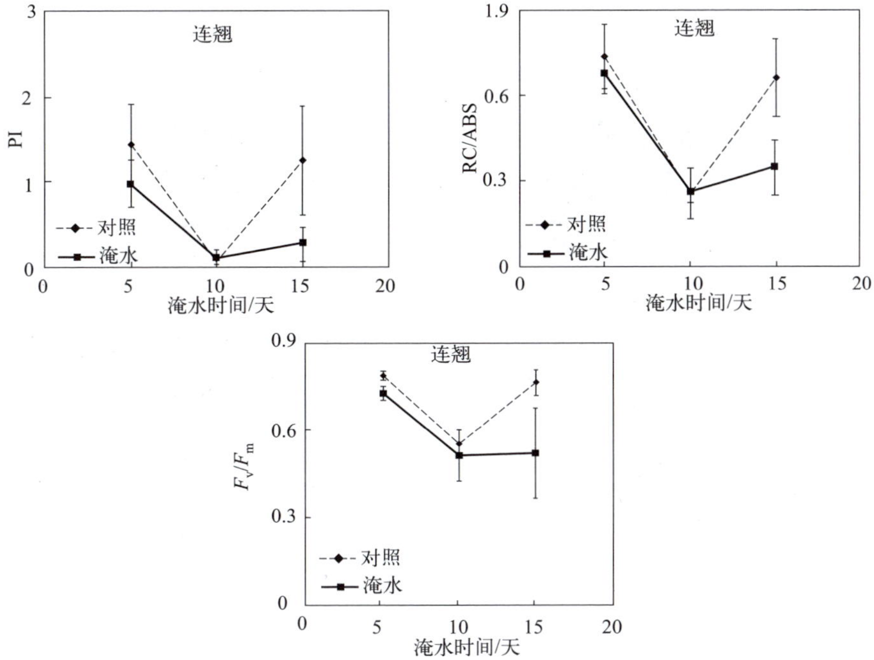

图 4-69 不同淹水处理条件下连翘叶片的光合荧光潜能指数

4.12.4 淹水结束时地上部形态观测

淹水 5 天处理组连翘枝干挺拔，有少许叶片叶尖枯黄，未出现叶片脱落和病虫害现象，观赏效果较好，地上部分生长势正常；淹水 10 天处理组植株茎干挺拔，部分茎尖及叶片萎蔫变褐，未出现叶片脱落和虫害现象，观赏效果一般；淹水 15 天处理组植株的大部分茎尖与叶片卷曲，叶片自下向上枯萎、变黄褐色，有少量落叶，观赏效果较差（图 4-70）。这表明淹水对连翘的形态有一定影响，主要表现为叶片变黄、萎蔫甚至落叶。

4.12.5 淹水结束时根系形态观测

对照组根系须根状，老根牙黄色，新根白色，形态完整；与对照组相比，淹水 5 天处理组根系形态松散，部分须根出现灰色，甚至呈半透明水渍状（图 4-71），表明根系受损；淹水 10 天和 15 天处理组的根系呈灰黑色，根表皮大多脱落，露出髓心，表明根系严重受损，与叶片严重萎蔫的情况相一致。这表明短暂（5 天）淹水后，连翘根系形态与功能遭到破坏，长时间淹水（10 天以上）会对连翘产生严重影响。

对照组

淹水5天

淹水10天

淹水15天

图 4-70　不同淹水处理条件下连翘地上部形态变化

对照组

淹水5天

淹水10天

淹水15天

图 4-71　不同淹水处理条件下连翘根系形态变化

4.12.6　恢复养护后形态观测

恢复养护一个月后，淹水 5 天处理组植株恢复效果较差，茎尖与老叶呈枯褐色，无新叶萌发，生长势不良；淹水 10 天、15 天组植株已无生机（图 4-72）。

对照组，养护1个月

淹水5天，恢复1个月

淹水10天，恢复1个月

淹水15天，恢复1个月

图 4-72　不同淹水处理的连翘恢复生长一个月后地上部形态变化

由表 4-12 可知，淹水组连翘恢复养护一个月后，耐涝能力评价为极差，恢复养护至越冬后，耐涝能力评价仍为极差。这表明淹水处理影响连翘的生长，养护至越冬后仍不能恢复。但在越冬后，淹水 5 天的连翘部分植株恢复生长，表明短时间（5 天）淹水对连翘有影响，但植株可以恢复。

表 4-12　连翘恢复养护后不同淹水处理组成活率、观赏效果及耐涝能力评价

恢复养护	淹水 5 天		淹水 10 天		淹水 15 天		耐涝能力评价
	成活率	观赏效果	成活率	观赏效果	成活率	观赏效果	
一个月	50%	2	0%	0	0%	0	极差
越冬后	50%	3	0%	0	0%	0	极差

综合来看，连翘在淹水处理期间，叶片含水率降低，光合作用减弱，植株形态和根系受损，淹水时间越长，受损越严重；经淹水处理的植株，恢复养护后基本不能恢复生长，经短时间（5 天）淹水的植株越冬后可以恢复。

研究表明，淹水对连翘具有较大影响，会降低叶片含水率，植株地上、地下部分均受到影响；恢复养护后，除短时间淹水的部分植株越冬后恢复生长外，其余淹水组植株不能恢复生长。

由此可知，连翘的耐涝能力极差。

4.13 平枝栒子

4.13.1 叶片干鲜比、含水率、比叶重及比叶面积变化

在淹水处理期间，淹水组平枝栒子的叶片干鲜比高于对照组，含水率反之；淹水组比叶重高于对照组，比叶面积反之（图 4-73）。这表明淹水使平枝栒子的叶片含水率下降、有机物增多，可能是由于淹水使植株受害，影响了输水系统，进而影响了有机物的转移。

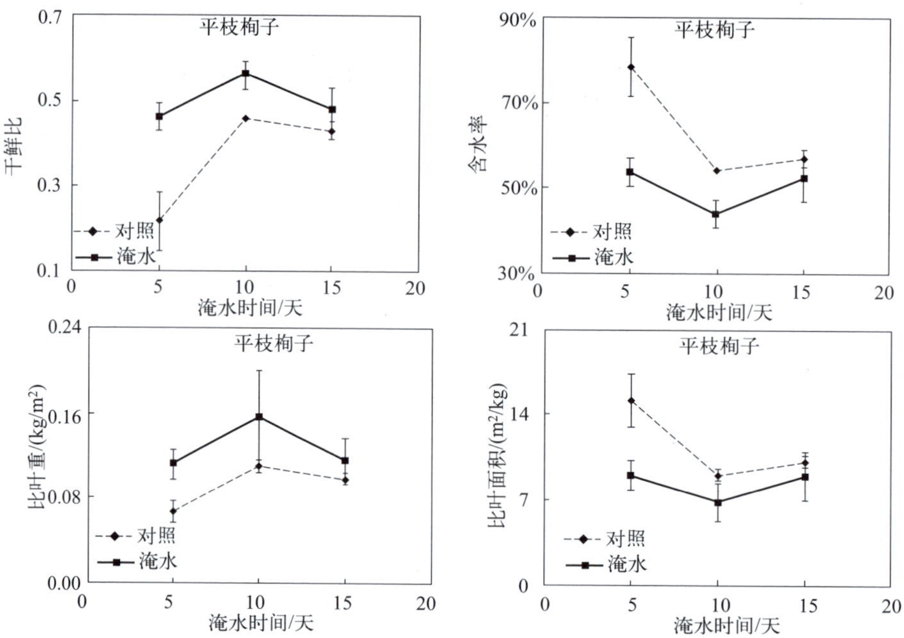

图 4-73 不同淹水处理条件下平枝栒子叶片的干鲜比、含水率、比叶重及比叶面积

4.13.2 叶片叶绿素含量变化

在淹水处理期间，平枝栒子的 SPAD 值与对照组相近，但整体上淹水组数

值呈下降趋势（图 4-74）。

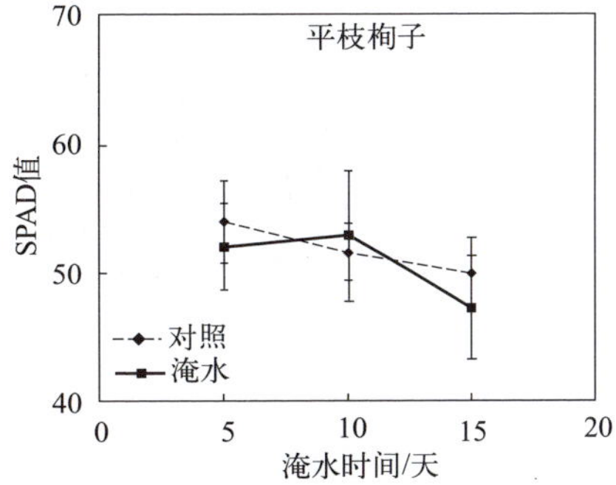

图 4-74 不同淹水处理条件下平枝栒子叶片的SPAD值

4.13.3 叶片光合荧光潜能指数变化

在淹水处理期间，淹水组平枝栒子的光合荧光潜能指数整体呈现下降的趋势，并呈现出先急后缓的特点（图 4-75），表明淹水条件下，光合作用受到影响，淹水时间越长，影响越大。

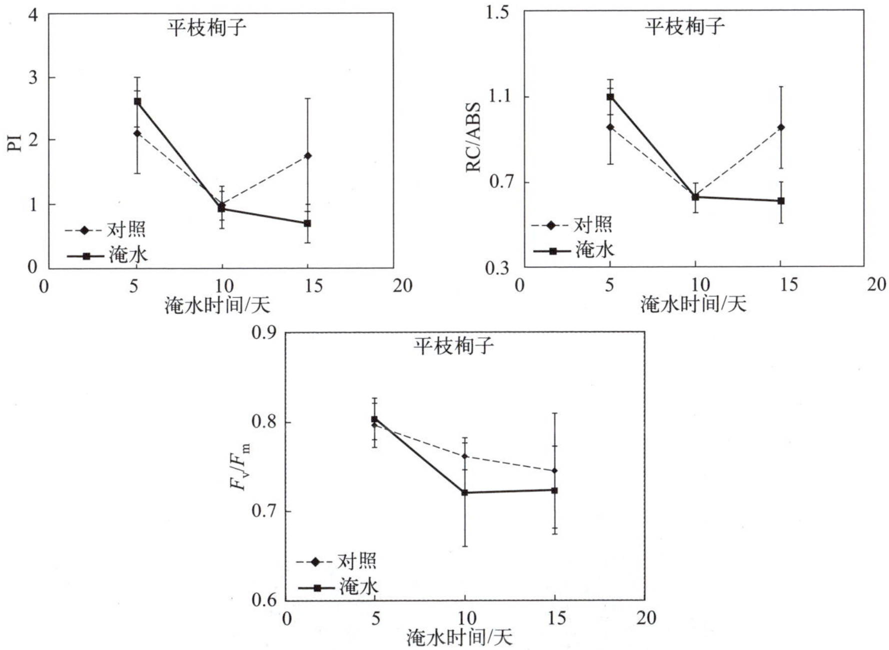

图 4-75 不同淹水处理条件下平枝栒子叶片的光合荧光潜能指数

4.13.4 淹水结束时地上部形态观测

淹水 5 天处理组平枝栒子枝干挺拔，颜色翠绿，观赏效果较对照组更好，地上部分生长势正常；淹水 10 天处理组植株茎干挺拔，个别叶片变黄，未出现叶片脱落和虫害现象，观赏效果较好；淹水 15 天处理组部分植株叶片变黄或红褐色，有少量落叶，观赏效果较好（图 4-76）。这表明淹水对平枝栒子的形态影响主要表现为：随淹水时间的增加，叶片逐渐变黄甚至落叶。

对照组　淹水5天

淹水10天　淹水15天

图 4-76　不同淹水处理条件下平枝栒子地上部形态变化

4.13.5　淹水结束时根系形态观测

对照组根系须根状，有光泽，老根黄褐色，新根牙白色；淹水 5 天处理组根系完整，呈黑褐色；淹水 10 天、15 天处理组根系大部分呈黑色；淹水 15 天处理组少数新根外周皮脱落，露出白色髓心。根系这些变化与地上部分叶片变黄或红褐色相关联（图 4-77）。这表明长时间（10 天以上）淹水会对平枝栒子产生轻微影响。

对照组　淹水5天

淹水10天　　淹水15天

图 4-77 不同淹水处理条件下平枝栒子根系形态变化

4.13.6 恢复养护后形态观测

恢复养护一个月后，淹水 5 天处理组植株恢复效果良好，生长势强于对照组；淹水 10 天处理组植株恢复效果较好；淹水 15 天处理组植株茎干挺拔，部分受损叶片脱落后已形成叶芽（图 4-78）。这表明短时间（5 天）淹水处理有利于平枝栒子的生长。

对照组，养护1个月　　淹水5天，恢复1个月

淹水10天，恢复1个月　　淹水15天，恢复1个月

图 4-78 不同淹水处理的平枝栒子恢复生长一个月后地上部形态变化

由表 4-13 可知，淹水组平枝栒子恢复养护一个月后，耐涝评价为强，恢复养护至越冬后，耐涝评价仍为强。长时间（15 天）淹水处理的平枝栒子在恢复养护后观赏效果仍不能恢复，植株不能越冬，表明长时间（15 天）淹水对平枝栒子具有较强烈的影响。

表 4-13　平枝栒子恢复养护后不同淹水处理组成活率、观赏效果及耐涝能力评价

恢复养护	淹水 5 天		淹水 10 天		淹水 15 天		耐涝能力评价
	成活率	观赏效果	成活率	观赏效果	成活率	观赏效果	
一个月	100%	5	100%	5	100%	3	强
越冬后	100%	5	100%	5	0%	0	强

综合来看，平枝栒子在淹水处理期间叶片黄化，叶绿素含量降低，光合作用逐渐降低；黄化的叶片随淹水时间的增加而逐渐增多；淹水 10 天、15 天对平枝栒子根系产生影响；恢复养护后，经 15 天淹水处理的植株不能及时恢复，观赏效果降低；越冬后，淹水 15 天处理组植株不能生长。

研究表明，淹水对平枝栒子有一定影响，尤其是长时间（15 天）淹水；淹水使其叶片黄化，降低其叶绿素含量、光合作用；植株地上、地下部分均受到淹水的影响；恢复养护后，经长时间（15 天）淹水处理的植株观赏性降低；越冬后，长时间（15 天）淹水的植株未能成活。

由此可知，平枝栒子的耐涝能力强。

4.14　黄刺玫

4.14.1　叶片干鲜比、含水率、比叶重及比叶面积变化

在淹水处理期间，淹水组黄刺玫的干鲜比和比叶重整体呈现出随淹水时间的增加而逐渐上升的趋势，含水率和比叶面积反之（图 4-79）。

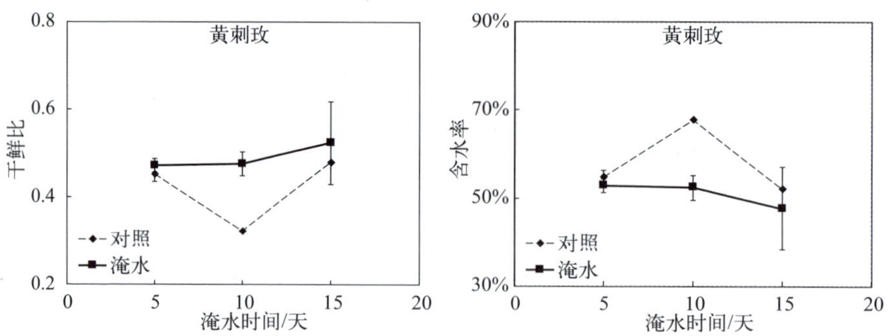

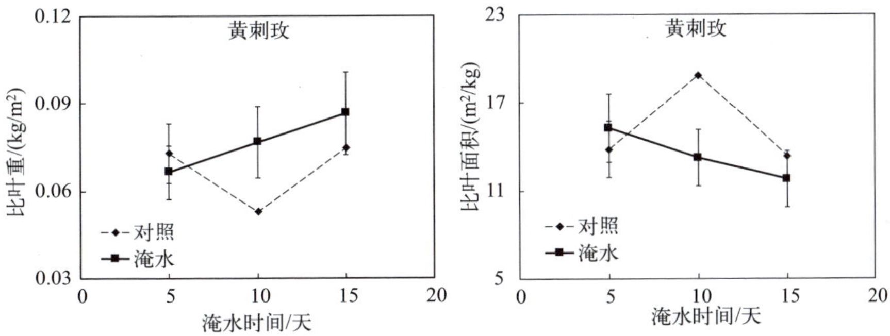

图 4-79 不同淹水处理条件下黄刺玫叶片的干鲜比、含水率、比叶重及比叶面积

4.14.2 叶片叶绿素含量变化

在淹水处理期间，淹水组黄刺玫的 SPAD 值均高于对照组（图 4-80）。

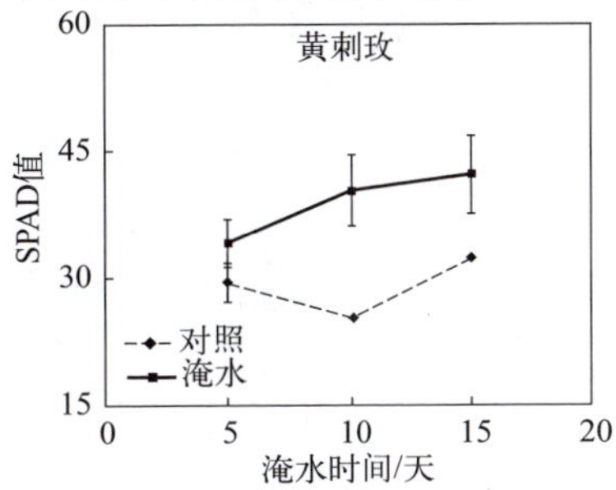

图 4-80 不同淹水处理条件下黄刺玫叶片的 SPAD 值

4.14.3 叶片光合荧光潜能指数变化

在淹水处理期间，淹水组黄刺玫的光合荧光潜能指数，尤其是 PI 指数，高于对照组（图 4-81）。

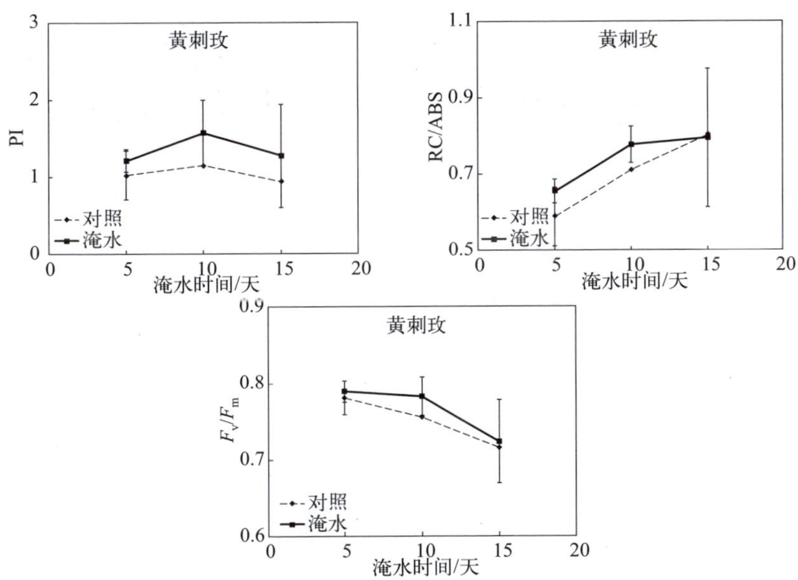

图 4-81 不同淹水处理条件下黄刺玫叶片的光合荧光潜能指数

4.14.4 淹水结束时地上部形态观测

淹水 5 天处理组的植株株型丰满，枝干挺拔，叶色翠绿，枝顶个别叶片变黄，未出现叶片脱落和病虫害现象，观赏效果好，地上部分生长势正常；淹水 10 天处理组植株的枝端和中下部部分茎尖及叶片变黄，未出现叶片脱落和虫害现象，观赏效果较好；淹水 15 天处理组植株的大部分茎尖与叶片枯黄，有少量落叶，观赏效果较好。这表明淹水对黄刺玫地上形态的影响主要表现为叶片、茎尖黄化，甚至落叶（图 4-82）。

图 4-82 不同淹水处理条件下黄刺玫地上部形态变化

4.14.5 淹水结束时根系形态观测

对照组的根系有光泽，老根黄褐色，新根牙白色；淹水 5 天、10 天处理组的根系完整，呈黑褐色；淹水 15 天处理组的根系呈灰黑色，少数新根外周皮脱落，露出白色髓心（图 4-83）。根系这些变化与叶片黄化相关联。这表明淹水会对黄刺玫根系产生影响，且随淹水时间的增加，根系受害程度逐渐显著。

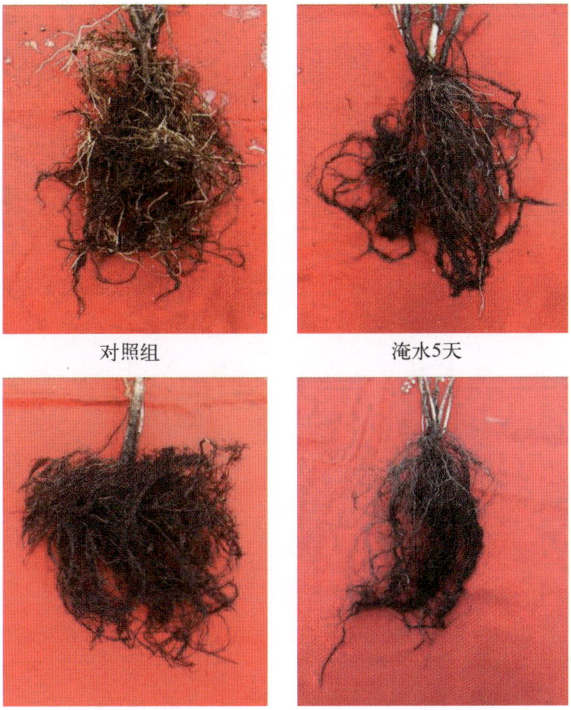

对照组　淹水5天　淹水10天　淹水15天

图 4-83 不同淹水处理条件下黄刺玫根系形态变化

4.14.6 恢复养护后形态观测

恢复养护一个月后，淹水 5 天处理组的植株恢复效果较好，部分植株老叶发黄、卷曲、枯萎，部分叶片出现黑点状病斑，生长势一般；淹水 10 天处理组植株恢复效果一般，部分植株老叶变黄、卷曲或脱落，但部分植株有新枝从基部萌发；淹水 15 天处理组的植株恢复效果不佳，老叶变黄、萎蔫，脱落严重，剩余叶量少，观赏效果差（图 4-84）。

对照组，养护1个月　淹水5天，恢复1个月

图 4-84

淹水10天，恢复1个月　　淹水15天，恢复1个月

图 4-84　不同淹水处理的黄刺玫恢复生长一个月后地上部形态变化

由表 4-14 可知，淹水组黄刺玫恢复养护一个月后，耐涝能力评价为差，恢复养护至越冬后，耐涝能力评价仍为差。这表明淹水对黄刺玫的影响较大。由表 4-14 可以看出，淹水对黄刺玫具有一定的影响，但各淹水组均有植株未死亡，并且可以越冬存活，同时，越冬后观赏效果均有提高。这表明黄刺玫具有一定的耐涝能力。

表 4-14　黄刺玫恢复养护后不同淹水处理组成活率、观赏效果及耐涝能力评价

恢复养护	淹水 5 天		淹水 10 天		淹水 15 天		耐涝能力评价
	成活率	观赏效果	成活率	观赏效果	成活率	观赏效果	
一个月	80%	4	60%	3	40%	2	差
越冬后	80%	5	60%	5	40%	4	差

综合来看，在淹水处理中，淹水使黄刺玫叶片含水率下降，叶片、茎尖黄化，根系受害，但其光合作用增强，随淹水时间的增长逐渐减弱；恢复养护后，各淹水处理组均出现植株观赏效果下降、部分植株死亡的现象；越冬后，各淹水处理组植株观赏效果均得到恢复，部分植株复活。

结果表明淹水对黄刺玫有影响，使其叶片含水率下降，光合作用短时间增强，植株观赏性减弱，恢复养护后，恢复效果不明显，越冬后可以得到有效的恢复。

由此可知，黄刺玫的耐涝能力为差。

4.15　金焰绣线菊

4.15.1　叶片干鲜比、含水率、比叶重及比叶面积变化

淹水组金焰绣线菊干鲜比和比叶重低于对照组，含水率和比叶面积反之（图 4-85）。

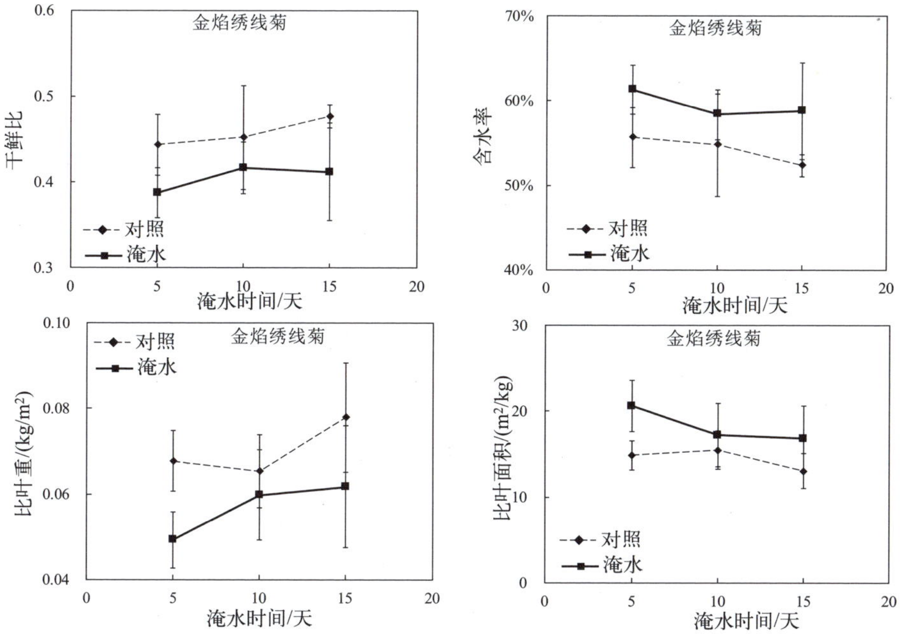

图 4-85 不同淹水处理条件下金焰绣线菊叶片的干鲜比、含水率、比叶重及比叶面积

4.15.2 叶片叶绿素含量变化

淹水 5 天处理组植株的 SPAD 值低于对照组，在淹水过程中，金焰绣线菊的 SPAD 值呈上升趋势（图 4-86）。

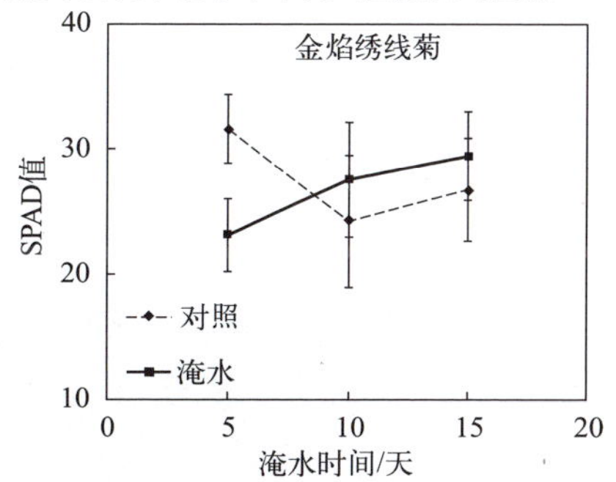

图 4-86 不同淹水处理条件下金焰绣线菊叶片的 SPAD 值

4.15.3 叶片光合荧光潜能指数变化

在短时间（10 天）淹水处理下，淹水组金焰绣线菊的光合荧光潜能指数高于对照组，在长时间（15 天）淹水处理下，淹水组低于对照组（图 4-87）。

4.15.4 淹水结束时地上部形态观测

淹水 5 天处理组植株枝型丰满、茎干挺拔，生长势正常，观赏效果好；淹水 10 天处理组植株茎干挺拔，中下部和枝顶个别叶片的叶缘枯萎，未出现叶片脱落和虫害现象，观赏效果较好；淹水 15 天处理组植株枝顶和中下部部分叶片卷曲、枯萎、呈黄褐色，个别落叶，观赏效果一般（图 4-88）。这表明淹水对金焰绣线菊的形态影响主要在后期，表现为叶片卷曲、枯萎。

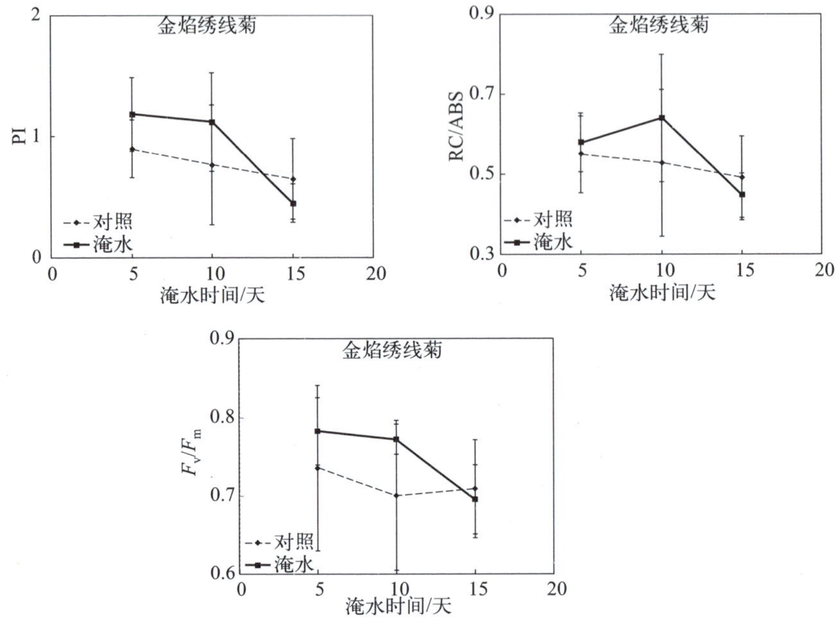

图 4-87 不同淹水处理条件下金焰绣线菊叶片的光合荧光潜能指数

图 4-88 不同淹水处理条件下金焰绣线菊地上部形态变化

4.15.5 淹水结束时根系形态观测

对照组的根系有光泽，呈黄褐色，新根牙白色；淹水 5 天、10 处理组的根系完整，呈黄褐色；淹水 15 天处理组的根系呈灰褐色，少数新根外周皮脱落，露出白色髓心。根系这些变化与叶片变黄枯萎脱落相关联（图 4-89）。这表明淹水会对金焰绣线菊根系产生影响，且随淹水时间的增加，根系受害逐渐显著。

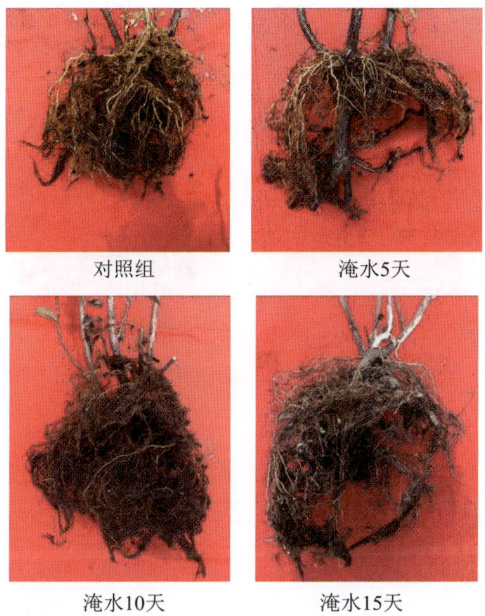

图 4-89 不同淹水处理条件下金焰绣线菊根系形态变化

4.15.6 恢复养护后形态观测

恢复养护一个月后，淹水 5 天处理组植株恢复效果较好，部分茎尖与老叶变成黄褐色，无新叶萌发，生长势正常；淹水 10 天处理组植株恢复效果较好，个别植株叶缘变褐黄、萎蔫，生长势较好；淹水 15 天处理组植株大多数叶片变黄、萎蔫，剩余叶量少（图 4-90）。

由表 4-15 可知，淹水组金焰绣线菊恢复养护一个月后，耐涝评价为中，恢复养护至越冬后，耐涝评价为差。这表明淹水处理对金焰绣线菊有影响，影响在短时间内表现不突出，随着养护时间的增加，影响逐渐显著，越冬后更为明显，淹水后的部分植株不能越冬，能越冬的植株观赏性下降。由此可知，淹水对金焰绣线菊的影响主要在后期恢复养护时显现。

对照组，养护1个月

淹水5天，恢复1个月

淹水10天，恢复1个月

淹水15天，恢复1个月

图 4-90　不同淹水处理的金焰绣线菊恢复生长一个月后地上部形态变化

表 4-15　金焰绣线菊恢复养护后不同淹水处理组成活率、观赏效果及耐涝能力评价

恢复养护	淹水 5 天		淹水 10 天		淹水 15 天		耐涝能力评价
	成活率	观赏效果	成活率	观赏效果	成活率	观赏效果	
一个月	100%	5	80%	4	20%	1	中
越冬后	75%	3	75%	3	0%	0	差

综合来看，淹水使金焰绣线菊叶片含水率升高，叶片不黄化，光合作用增强；叶片卷曲、枯萎，地下根系受害较重；恢复养护后，随淹水时间的增加，金焰绣线菊成活率、观赏效果逐步下降，养护至越冬后，部分植株死亡，存活植株观赏性不如越冬之前。

研究表明，淹水对金焰绣线菊有较强的影响，并且这种影响并不在短时间内体现，而是伴随着恢复养护周期的增加而逐渐显现。短时间内受淹水影响较为显著的是地下根系，地上部分则不显著，且生理功能正常，可能是由于淹水处理使根系受害，恢复养护后根系修复慢，进而影响了植株的正常生长。

由此可知，金焰绣线菊的耐涝能力为差。

4.16 红瑞木

4.16.1 叶片干鲜比、含水率、比叶重及比叶面积变化

在淹水处理期间，淹水组红瑞木叶片的含水率和比叶面积低于对照组，干鲜比和比叶重高于对照组（图 4-91）。

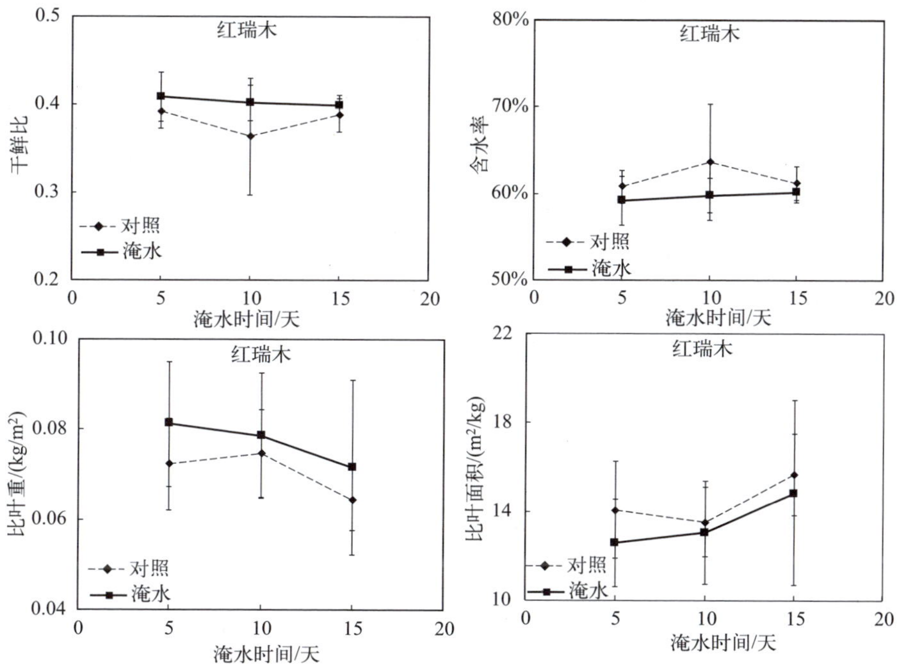

图 4-91 不同淹水处理条件下红瑞木叶片的干鲜比、含水率、比叶重及比叶面积

4.16.2 叶片叶绿素含量变化

在淹水处理期间，淹水组红瑞木的 SPAD 值呈现逐渐上升的趋势（图 4-92）。

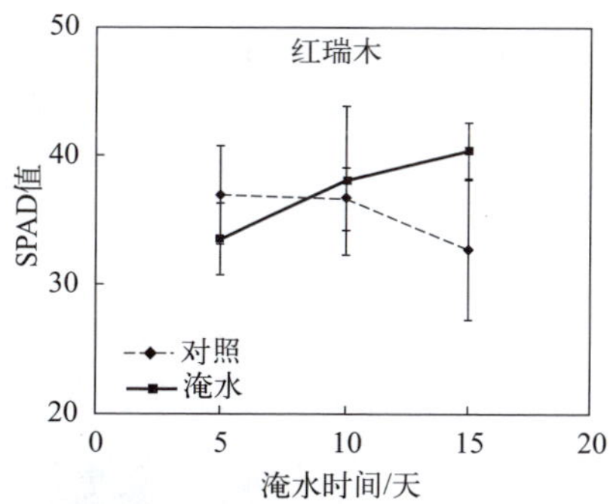

图 4-92 不同淹水处理条件下红瑞木叶片的 SPAD 值

4.16.3 叶片光合荧光潜能指数变化

在淹水处理期间，淹水组红瑞木光合荧光潜能指数 PI、RC/ABS 呈现逐渐

上升的趋势，表明红瑞木的光合作用增强。而在淹水前期（淹水 5 天、10 天），淹水组红瑞木光合作用低于对照组（图 4-93）。

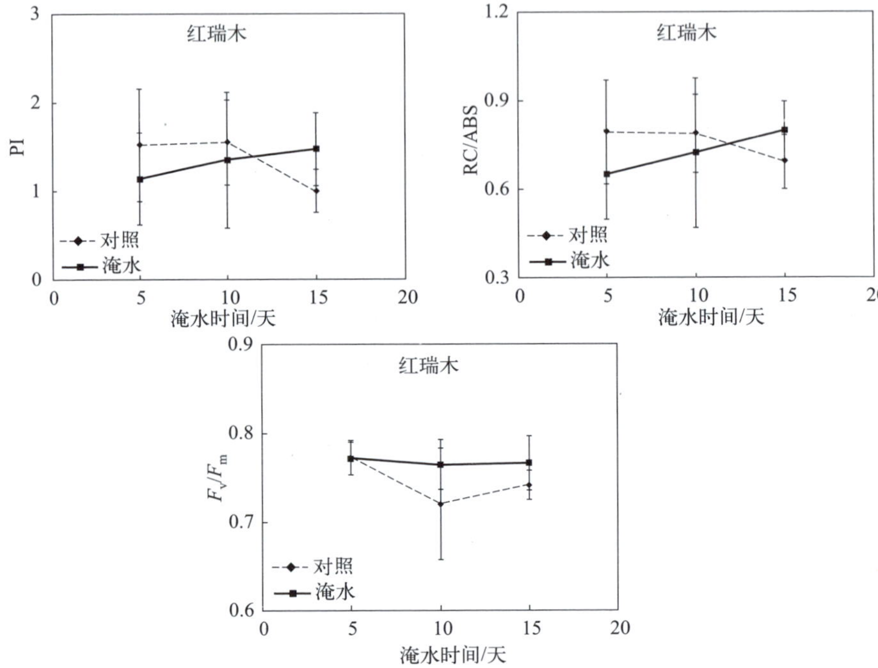

图 4-93 不同淹水处理条件下红瑞木叶片的光合荧光潜能指数

4.16.4 淹水结束时地上部形态观测

淹水 5 天处理组植株枝干挺拔，有少量新叶，观赏效果较好，地上部分生长势正常；淹水 10 天处理组植株茎干挺拔，中下部部分叶片出现水渍状病斑，未出现叶片脱落和虫害现象，观赏效果一般；淹水 15 天处理组部分植株枝端叶片出现花叶症状，有新叶自干基部萌生，观赏效果一般（图 4-94）。这表明淹水对红瑞木地上形态的影响主要表现为叶片变成花叶。

对照组

淹水5天

淹水10天　淹水15天

淹水5天，叶部病害　淹水10天，叶部病害

淹水15天，叶部病害　淹水15天，干基部新叶萌生

图 4-94 不同淹水处理条件下红瑞木地上部形态变化

4.16.5 淹水结束时根系形态观测

对照组根系的老根呈棕褐色，新根牙白色；淹水 5 天处理组根系完整，呈棕黑色；淹水 10 天处理组的老根呈黑色，新根灰白色；淹水 15 天处理组的老根呈灰黑色，新根白色（图 4-95）。这表明淹水对红瑞木根系的影响较小。

4.16.6 恢复养护后形态观测

恢复养护一个月后，淹水 5 天处理组植株恢复效果一般，有落叶现象，部分茎尖与老叶卷边、变成黄褐色，无新叶萌发，生长势一般。淹水 10 天处理组植株恢复效果较好，大部分植株枝干棕红。在淹水试验中，位于水面以下的老叶枯萎落叶，水面以上的存活，老叶翠绿，萌生的新叶黄绿，生长势较强。淹水 15 天处理组的植株恢复效果好，枝干大多由绿转红，有部分老叶变黄萎蔫，新生叶翠绿，生长势强（图 4-96）。

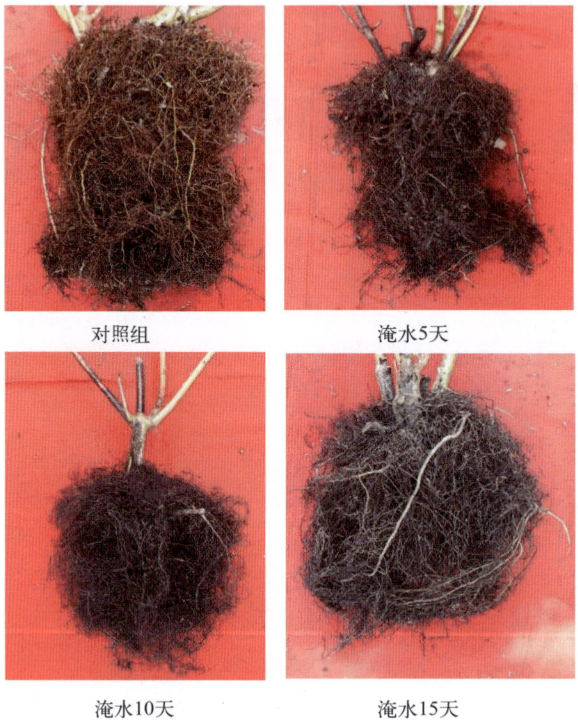

图 4-95　不同淹水处理条件下红瑞木根系形态变化

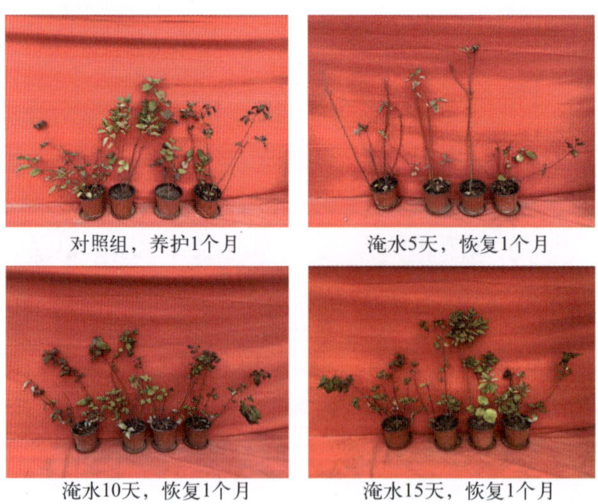

对照组在后期养护中出现叶部病害

淹水15天处理组在后期恢复中遭受美国白蛾为害

图 4-96 不同淹水处理的红瑞木恢复生长一个月后地上部形态变化

由表 4-16 可知，淹水组红瑞木恢复养护一个月后，耐涝能力评价为极强，恢复养护至越冬后，耐涝能力评价仍为极强。这表明淹水对红瑞木的影响较小，短时间（5 天）淹水不会对植株造成较大的影响，可能是因为红瑞木在短时间（5 天）的淹水中处于调整适应阶段，还未完全形成适应耐涝的状态。

表 4-16 红瑞木恢复养护后不同淹水处理组成活率、观赏效果及耐涝能力评价

恢复养护	淹水 5 天		淹水 10 天		淹水 15 天		耐涝能力评价
	成活率	观赏效果	成活率	观赏效果	成活率	观赏效果	
一个月	100%	4	100%	5	100%	5	极强
越冬后	100%	5	100%	5	100%	5	极强

综合来看，在淹水处理期间，淹水对红瑞木的影响主要表现为叶绿素含量逐渐升高，光合作用逐渐加强；叶片出现花叶，根系受影响较小；恢复养护后，仅淹水 5 天处理组观赏效果下降，其余组观赏效果良好；越冬后，植株正常生长。

研究表明，淹水对红瑞木具有一定影响，影响植株的生理、形态等；对植株影响最大的是短时间（5 天）的淹水，在恢复养护期间，出现观赏效果降低现象，越冬过程中，植株正常生长，在短时间（5 天）淹水期间，红瑞木还未形成耐涝机制，表明红瑞木形成耐涝机制需要较长时间。

由此可知，红瑞木的耐涝能力为极强。

4.17 棣棠

4.17.1 叶片干鲜比、含水率、比叶重及比叶面积变化

在淹水处理期间，淹水组棣棠干鲜比高于对照组，含水率反之，淹水组比

叶重与对照组相比，呈现先高后低的趋势，比叶面积反之（图 4-97）。

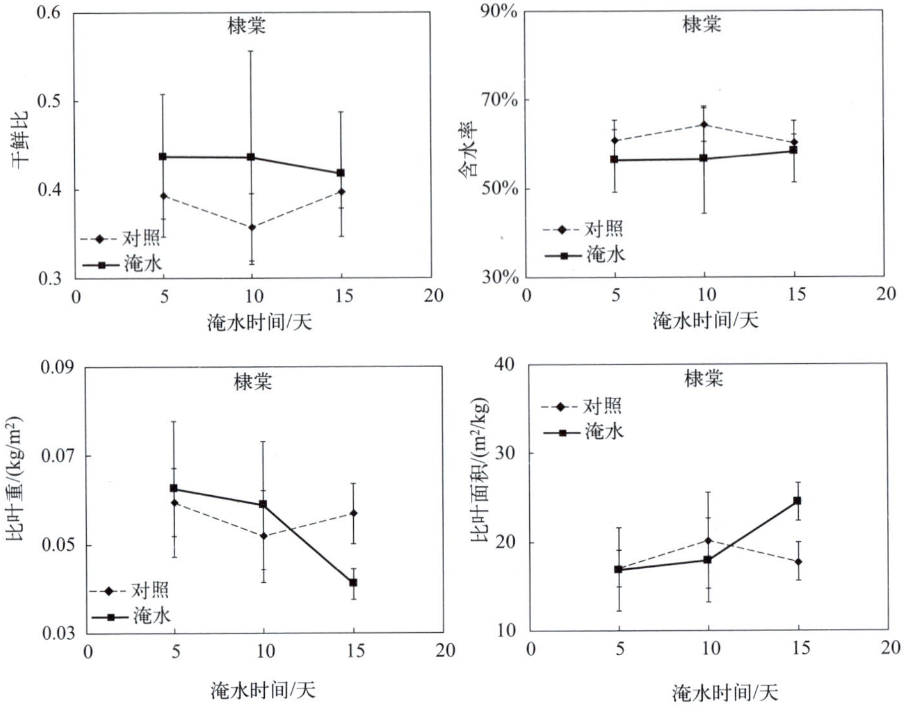

图 4-97 不同淹水处理条件下棣棠叶片的干鲜比、含水率、比叶重及比叶面积

4.17.2 叶片叶绿素含量变化

在淹水处理期间，淹水组棣棠 SPAD 值呈近直线下降趋势，表明随淹水时间的增加，叶片逐渐黄化，叶绿素含量直线下降（图 4-98）。

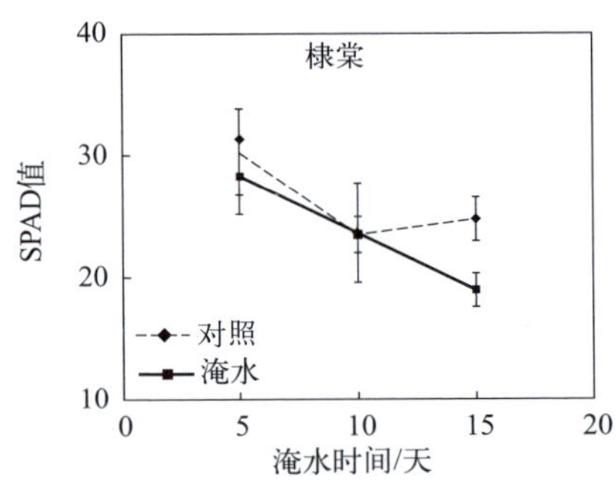

图 4-98 不同淹水处理条件下棣棠叶片的 SPAD 值

4.17.3 叶片光合荧光潜能指数变化

在淹水处理期间，淹水组棣棠的光合荧光潜能指数均低于对照组（图 4-99）。

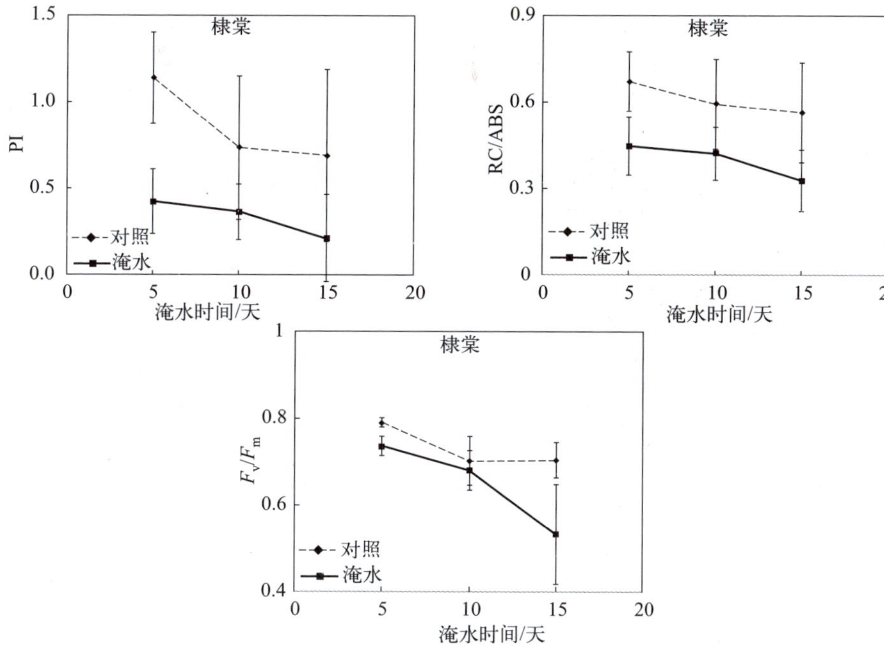

图 4-99 不同淹水处理条件下棣棠叶片的光合荧光潜能指数

4.17.4 淹水结束时地上部形态观测

淹水 5 天处理组的植株株型松散，有少许叶片褪绿变黄，叶缘棕褐色，未出现叶片脱落和病虫害现象，观赏效果一般；淹水 10 天处理组植株株型散乱，植株中下部部分叶片褪绿、卷曲、变褐色，开始落叶，观赏效果不佳；淹水 15 天处理组植株大部分植株茎尖与叶片下垂、褪绿甚至枯萎，大量落叶，观赏效果差（图 4-100）。这表明淹水对棣棠地上形态的影响主要表现为：随淹水时间的增加，叶片逐渐黄化甚至枯萎落叶。

4.17.5 淹水结束时根系形态观测

对照组根系有光泽，老根呈棕褐色，新根牙白色；淹水 5 天处理组根系完整，无光泽，呈棕黑色；淹水 10 天处理组老根呈黑色；淹水 15 天处理组根系呈灰白色（图 4-101）。根系这些变化与叶片褪绿、枯萎、落叶相关联，表明淹水会对棣棠根系产生影响，且随淹水时间的增加，根系受害程度逐渐加重。

对照组　淹水5天

淹水10天　淹水15天

图 4-100　不同淹水处理条件下棣棠地上部形态变化

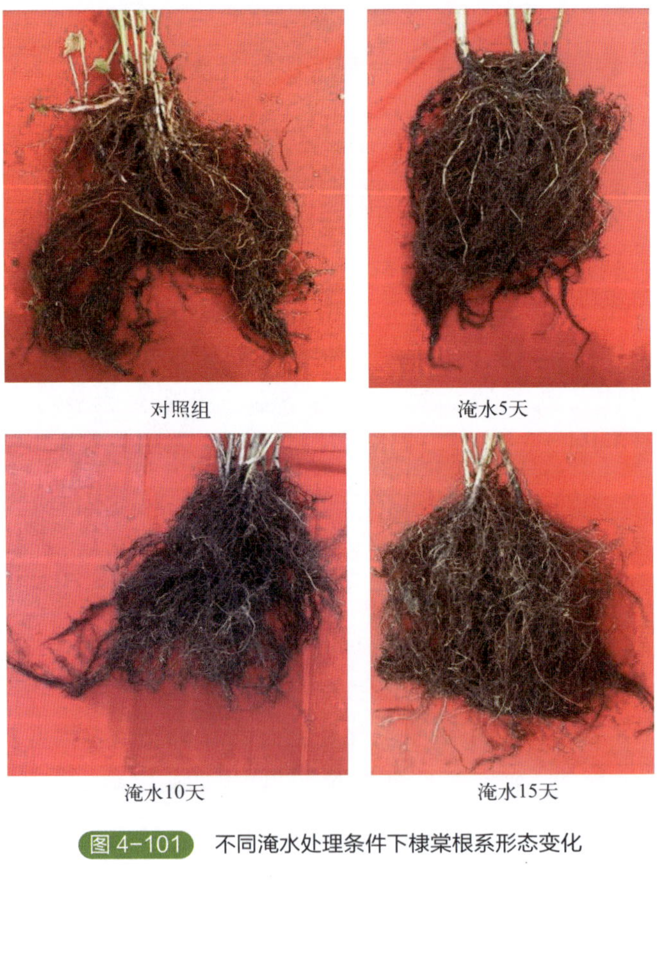

对照组　淹水5天

淹水10天　淹水15天

图 4-101　不同淹水处理条件下棣棠根系形态变化

4.17.6 恢复养护后形态观测

恢复养护一个月后，淹水 5 天处理组植株恢复效果较差，株型散乱，大量落叶，所剩无几的绿叶下垂、褪绿、卷曲或枯萎，生长势弱；淹水 10 天、15 天处理组植株恢复效果差，全部落叶（图 4-102）。

对照组，养护1个月

淹水5天，恢复1个月

淹水10天，恢复1个月

淹水15天，恢复1个月

图 4-102 不同淹水处理的棣棠恢复生长一个月后地上部形态变化

由表 4-17 可知，淹水组棣棠恢复养护一个月后，耐涝能力评价为极差，恢复养护至越冬后，耐涝能力评价仍为极差，表明淹水对棣棠有较大的影响。恢复养护后，植株大部分死亡，越冬后无植株存活。

表 4-17 棣棠恢复养护后不同淹水处理组成活率、观赏效果及耐涝能力评价

恢复养护	淹水 5 天		淹水 10 天		淹水 15 天		耐涝能力评价
	成活率	观赏效果	成活率	观赏效果	成活率	观赏效果	
一个月	40%	2	0%	0	0%	0	极差
越冬后	0%	0	0%	0	0%	0	极差

综合来看，在淹水处理期间，淹水对棣棠的影响随淹水时间的增加而逐渐显著，淹水使棣棠叶片含水率下降，光合作用降低；叶片黄化、枯萎、落叶，地下根系受害；恢复养护后，植株未恢复，反而观赏效果下降，大部分植株死

亡，越冬后，植株全部死亡。

研究表明，淹水对棣棠有较大的影响，不仅在淹水过程中影响棣棠的生理和形态，在恢复养护后影响更为突出，植株不能正常生长，成活率下降，观赏效果下降，淹水的所有植株均不能越冬。

由此可知，棣棠的耐淹水能力为极差。

4.18 月季花

4.18.1 叶片干鲜比、含水率、比叶重及比叶面积变化

在淹水处理期间，淹水组月季花叶片的干鲜比高于对照组，含水率反之，淹水组比叶重高于对照组，比叶面积反之（图 4-103）。

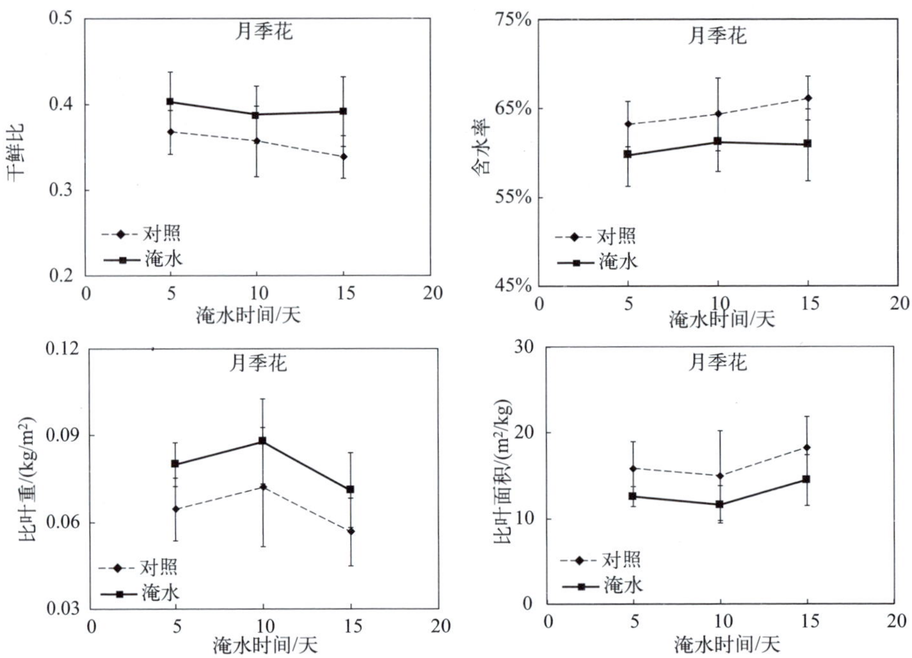

图 4-103 不同淹水处理条件下月季花叶片的干鲜比、含水率、比叶重及比叶面积

4.18.2 叶片叶绿素含量变化

在淹水处理期间，月季花的 SPAD 值呈现较平稳的状态（图 4-104），表明淹水对叶片颜色及叶绿素含量影响不大。

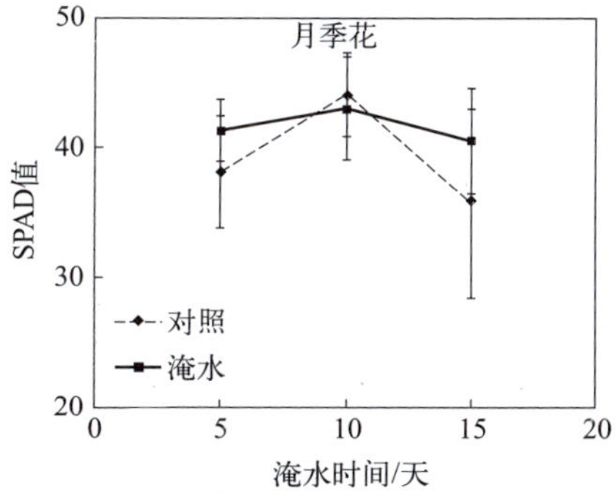

图 4-104 不同淹水处理条件下月季花叶片的 SPAD 值

4.18.3 叶片光合荧光潜能指数变化

在淹水处理期间，淹水组月季花的光合荧光潜能指数多数高于对照组（图 4-105），淹水处理 10 ～ 15 天，光合荧光潜能指数呈现下降趋势。

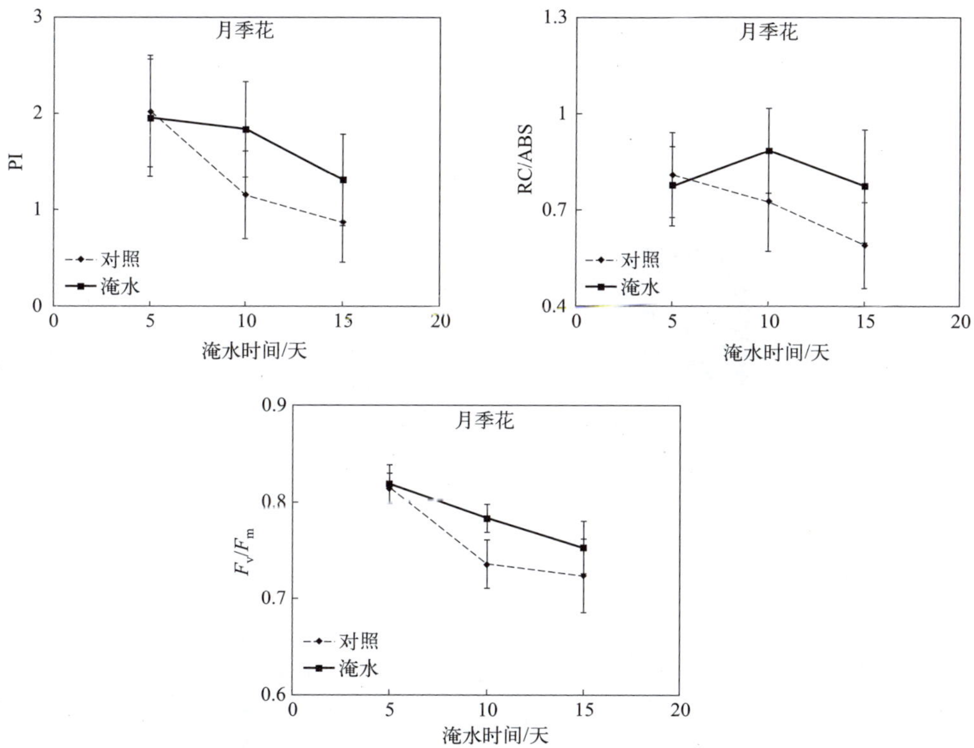

图 4-105 不同淹水处理条件下月季花叶片的光合荧光潜能指数

4.18.4 淹水结束时地上部形态观测

淹水组的植株枝干挺拔，未出现叶片脱落和病虫害现象，正常抽生新枝，开花并生长新叶，观赏效果好，地上部分生长势正常（图 4-106），表明淹水对月季花地上形态的影响较小。

对照组

淹水5天

淹水10天

淹水15天

淹水5天，干基部生长新芽

淹水15天，生长花芽与新叶

图 4-106 不同淹水处理条件下月季花地上部形态变化

4.18.5 淹水结束时根系形态观测

对照组根系中老根呈棕褐色，新根牙白色；淹水 5 天处理组的根系完整，呈棕褐色；淹水 10 天处理组的老根呈黑色，新根灰白色；淹水 15 天处理组的根系呈灰白色（图 4-107）。这表明淹水对月季花根系有一定影响。

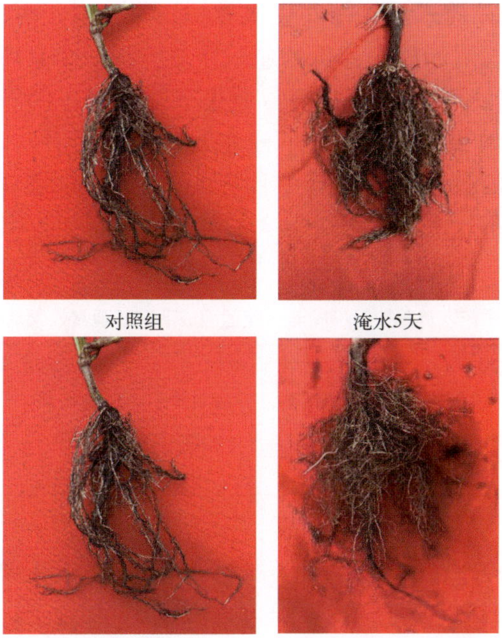

对照组　淹水5天

淹水10天　淹水15天

图 4-107 不同淹水处理条件下月季花根系形态变化

4.18.6 恢复养护后形态观测

恢复养护一个月后，淹水组所有植株地上部分均呈现出生长势减弱的趋势，但整体生长状态良好（图 4-108）。

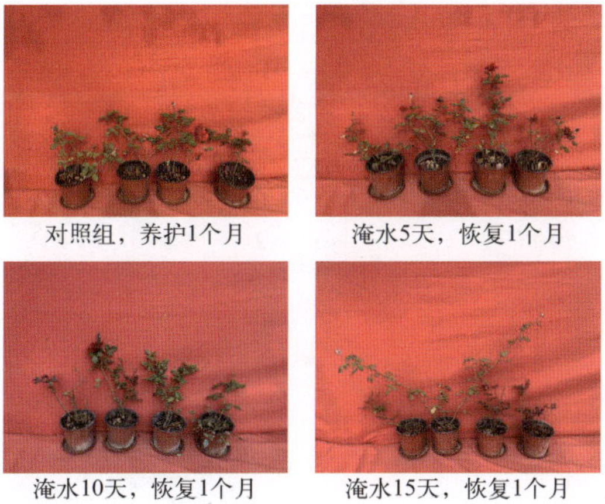

对照组，养护1个月　淹水5天，恢复1个月

淹水10天，恢复1个月　淹水15天，恢复1个月

图 4-108 不同淹水处理的月季花恢复生长一个月后地上部形态变化

由表 4-18 可知，淹水组月季花恢复养护一个月后，耐涝能力评价为极强，恢复养护至越冬后，耐涝能力评价为差。恢复养护一个月后，月季花地上形态变化不大，淹水 15 天处理组植株观赏效果下降；越冬后，淹水组部分植株不能正常生长，观赏效果降低。这表明淹水对月季花的后期恢复具有一定影响，这种影响在短时间内就有表现，但并不强烈，在越冬后表现较为强烈；淹水时间越长，受害越严重。

表 4-18 月季花恢复养护后不同淹水处理组成活率、观赏效果及耐涝能力评价

恢复养护	淹水 5 天		淹水 10 天		淹水 15 天		耐涝能力评价
	成活率	观赏效果	成活率	观赏效果	成活率	观赏效果	
一个月	100%	5	100%	5	100%	4	极强
越冬后	75%	3	50%	3	25%	2	差

综合来看，在淹水处理期间，淹水对月季花的影响主要表现在叶片含水率下降、有机物含量升高以及光合作用增强；淹水对其地上、地下部分的影响较小；恢复养护后，其观赏效果略有下降；越冬后，不仅出现观赏效果降低现象，甚至出现死亡植株。

研究结果表明淹水对月季花具有一定影响，表现为光合作用提高，地上、地下部受害不明显，短时间恢复养护后，植株可正常生长，但越冬后植株出现死亡或观赏效果降低情况，且随淹水处理时间的增加而显著。

由此可知，月季花的耐涝能力为中。

4.19 紫叶小檗

4.19.1 叶片干鲜比、含水率、比叶重及比叶面积变化

在淹水处理期间，淹水组紫叶小檗叶片的干鲜比、含水率、比叶重及比叶面积与对照组相近（图 4-109），表明淹水对紫叶小檗的影响不大。

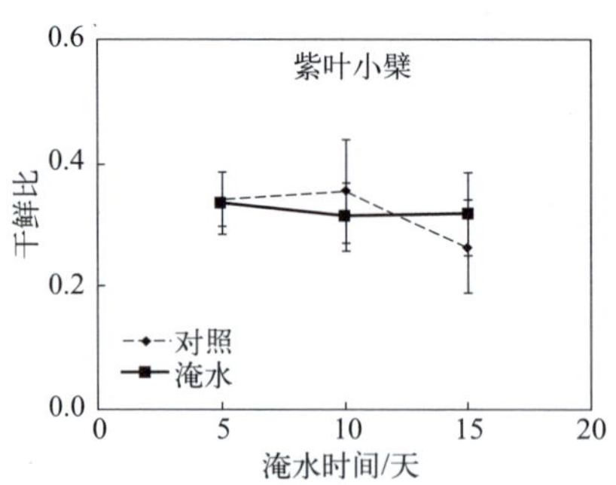

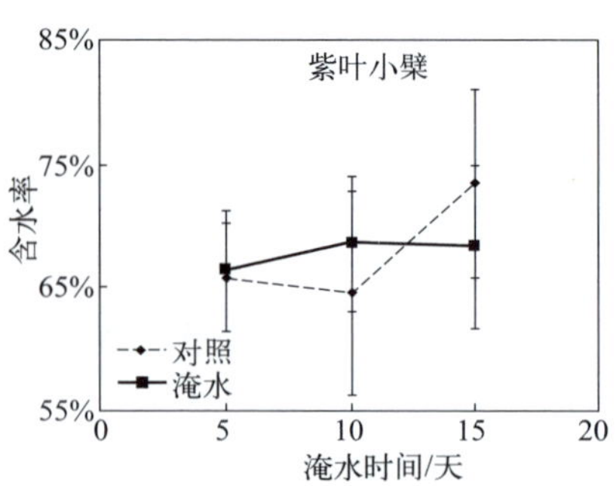

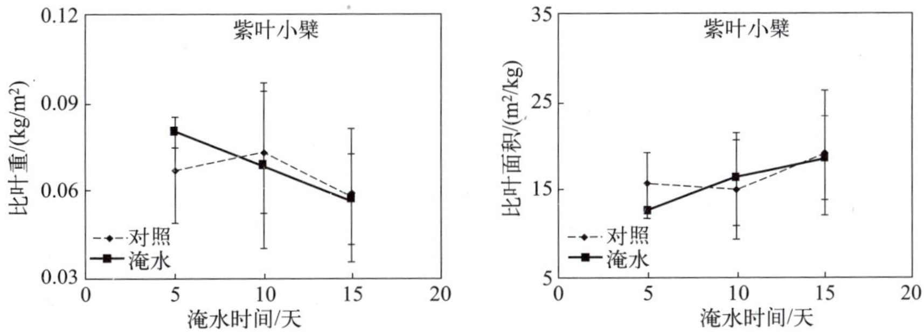

图 4-109 不同淹水处理条件下紫叶小檗叶片的干鲜比、含水率、比叶重及比叶面积

4.19.2 叶片叶绿素含量变化

在淹水处理期间，淹水组紫叶小檗的 SPAD 值呈现先降低后升高的趋势（图 4-110），表明淹水对紫叶小檗的叶绿素含量有一定影响。

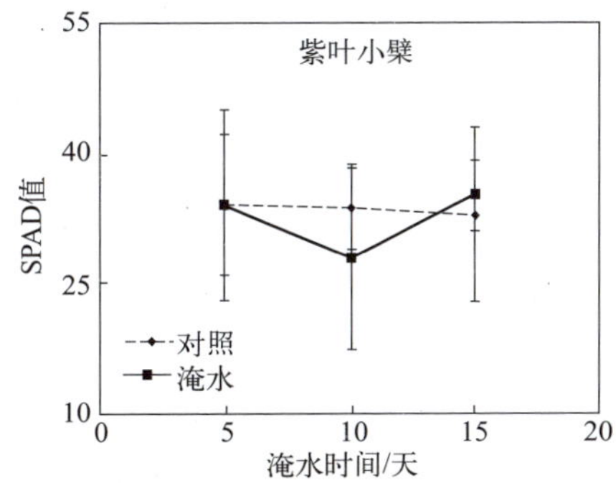

图 4-110 不同淹水处理条件下紫叶小檗叶片的 SPAD 值

4.19.3 叶片光合荧光潜能指数变化

在淹水处理期间，淹水组紫叶小檗的光合荧光潜能指数呈现先降低后平稳的趋势，淹水 5 天处理组指数高于对照组（图 4-111），淹水 10 天、15 天处理组的指数均低于对照组，且呈现下降趋势，表明在这些阶段植株光合作用减弱。

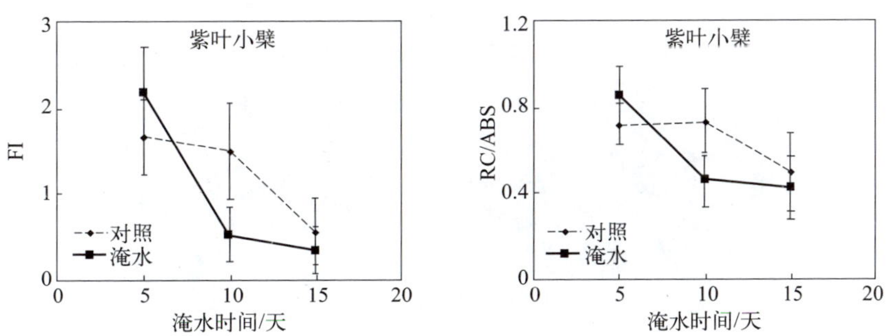

图 4-111

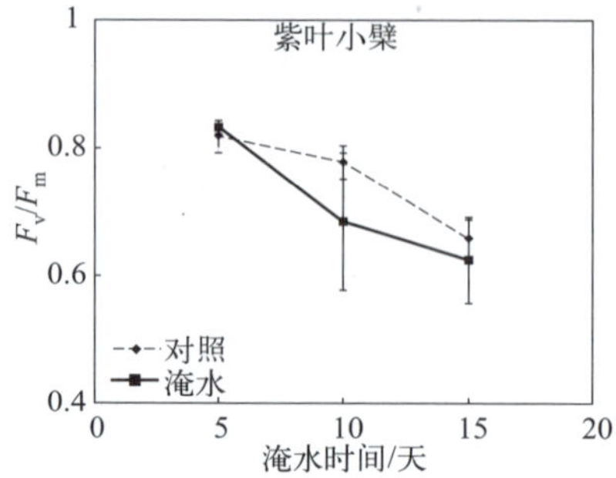

图 4-111　不同淹水处理条件下紫叶小檗叶片的光合荧光潜能指数

4.19.4　淹水结束时地上部形态观测

淹水 5 天处理组的植株未出现叶片脱落和病虫害现象，观赏效果好，地上部分生长势正常；淹水 10 天处理组的植株茎干挺拔，部分茎尖及叶片萎蔫变色，未出现叶片脱落和虫害现象，观赏效果一般；淹水 15 天处理组的部分植株茎尖与叶片枯萎、变为黄褐色，鲜有落叶，观赏效果一般（图 4-112）。这表明淹水对紫叶小檗地上形态的影响主要表现为随淹水时间的增加，叶片逐渐萎蔫、变色。

图 4-112　不同淹水处理条件下紫叶小檗地上部形态变化

4.19.5 淹水结束时根系形态观测

对照组根系的老根呈明亮的黄色，新根牙白色；淹水 5 天处理组的根系完整，呈深黄色；淹水 10 天处理组的老根呈黑黄色，新根呈灰白色；淹水 15 天处理组的根系呈土黄色。根系这些变化与叶片卷曲变色相联系（图 4-113），表明淹水会对紫叶小檗根系产生影响，且随淹水时间的增加，根系受害逐渐显著。

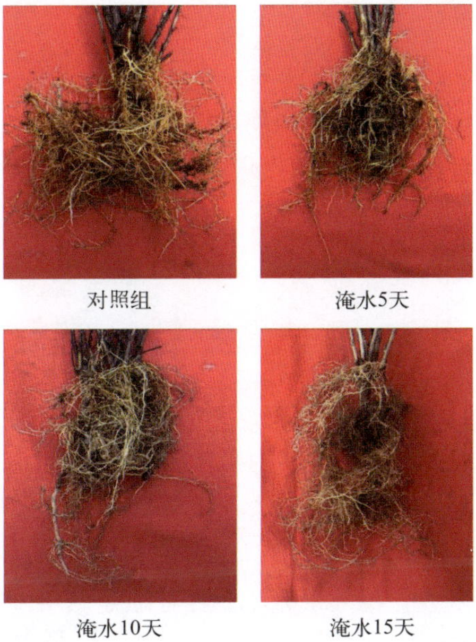

图 4-113 不同淹水处理条件下紫叶小檗根系形态变化

4.19.6 恢复养护后形态观测

恢复养护一个月后，淹水 5 天处理组的植株恢复效果较好，生长势正常；淹水 10 天处理组的植株恢复效果一般，部分植株叶片变色萎蔫，甚至落叶，生长势一般；淹水 15 天处理组植株恢复效果不佳，近半数叶片卷曲、变黄或枯萎（图 4-114）。

由表 4-19 可知，淹水组紫叶小檗恢复养护一个月后，耐涝能力评价为中，恢复养护至越冬后，耐涝能力评价仍为中。淹水对紫叶小檗的影响主要表现为观赏效果下降。在淹水 5 天处理组中，淹水对紫叶小檗的影响不明显；在淹水 10 天处理组中，淹水使个别植株死亡，植株整体观赏效果下降，可能是由于

对照组，养护1个月

淹水5天，恢复1个月

淹水10天，恢复1个月

淹水15天，恢复1个月

图 4-114 不同淹水处理的紫叶小檗恢复生长一个月后地上部形态变化

淹水 10 天是紫叶小檗适应淹水环境的一个时间节点，此时快速从水中撤出对紫叶小檗影响较大；在淹水 15 天处理组中，淹水对紫叶小檗的影响主要是使其观赏效果降低至基本无观赏性；越冬后，各淹水处理组植株观赏效果略有增加。这表明淹水对紫叶小檗后期养护具有一定的影响，最大的影响是降低观赏性，并且在越冬后不恢复，淹水 10 天左右可能是紫叶小檗适应淹水的一个节点，在此之前是对淹水环境的抵抗，在此之后是对淹水环境的适应。

表 4-19 紫叶小檗恢复养护后不同淹水处理组成活率、观赏效果及耐涝能力评价

恢复养护	淹水 5 天		淹水 10 天		淹水 15 天		耐涝能力评价
	成活率	观赏效果	成活率	观赏效果	成活率	观赏效果	
一个月	100%	5	100%	3	80%	1	中
越冬后	100%	5	80%	4	80%	2	中

综合来看，在淹水处理期间，淹水对紫叶小檗的影响主要表现为：叶绿素含量先降低后升高，光合作用减弱；叶片萎蔫变色，新生根颜色转黄；恢复养护后，叶片萎蔫情况加重，甚至落叶，观赏效果降低，淹水 10 天处理组中个别植株死亡；越冬后植株观赏效果略有提升。

结果表明淹水对紫叶小檗具有一定的影响，这种影响在生理和形态上均有

表现，恢复养护后，淹水的影响继续显现，淹水 10 天处理组植株出现死亡情况，越冬后植株恢复一定的观赏性，但死亡植株不能恢复生机；淹水 10 天可能是紫叶小檗的重要适应节点。

由此可知，紫叶小檗的耐涝能力为中。

4.20 蔷薇

4.20.1 叶片干鲜比、含水率、比叶重及比叶面积变化

在淹水处理期间，淹水组蔷薇叶片的干鲜比、含水率与对照组相近，在后期（淹水 15 天）呈现增多或减少的趋势；淹水组比叶重与对照组相比，前期（淹水 5 天、10 天）低于对照组，后期（淹水 15 天）高于对照组，比叶面积反之（图 4-115）。

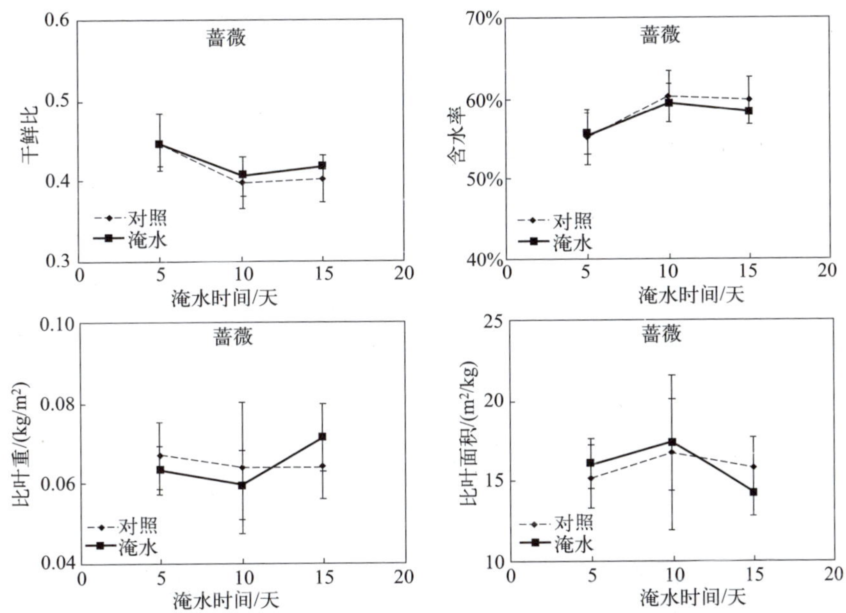

图 4-115 不同淹水处理条件下蔷薇叶片的干鲜比、含水率、比叶重及比叶面积

4.20.2 叶片叶绿素含量变化

在淹水处理期间，淹水组蔷薇的 SPAD 值呈现上升的趋势，与对照组相比，淹水 5 天处理组的 SPAD 值低于对照组，淹水 15 天处理组的 SPAD 值高于对照组（图 4-116）。

4.20.3 叶片光合荧光潜能指数变化

在淹水处理期间，淹水组蔷薇的光合荧光潜能指数整体呈下降趋势（图 4-116），表明淹水对蔷薇的光合作用有影响，随着淹水时间的增加，光合作用逐渐减弱。淹水组指数与对照组相比，前期（淹水 5 天）低于对照组，后期（淹水 15 天）高于对照组，这可能与叶绿素含量有关。

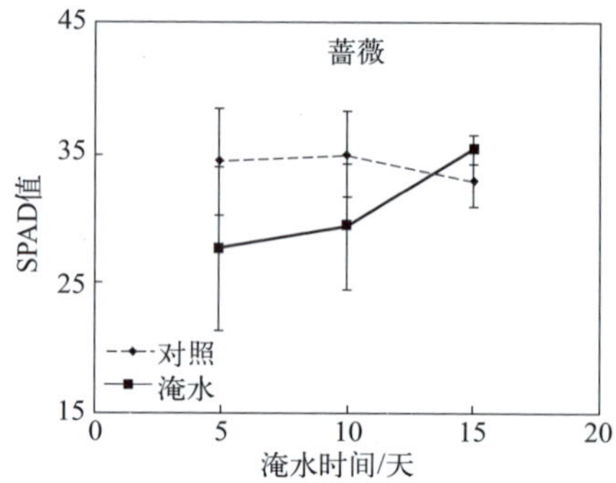

图 4-116 不同淹水处理条件下蔷薇叶片的 SPAD 值

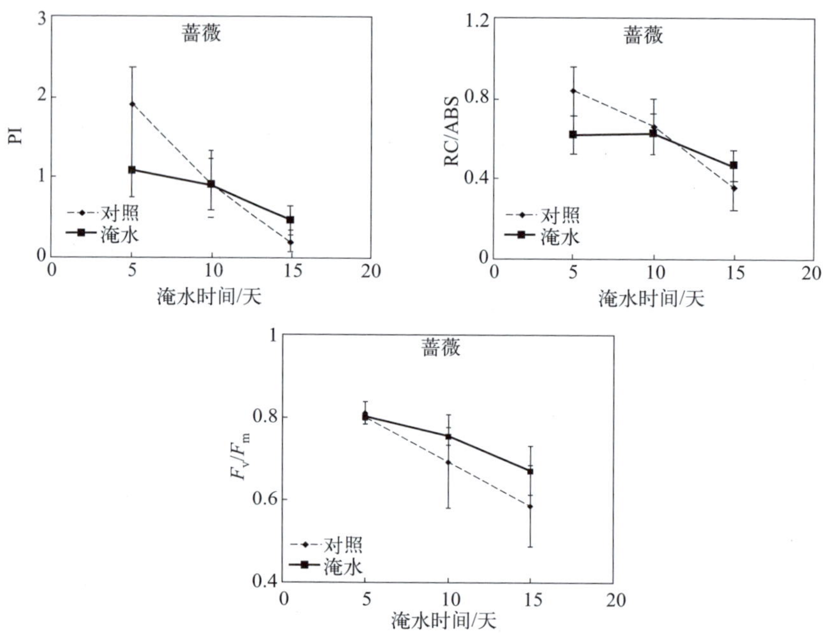

图 4-117 不同淹水处理条件下蔷薇叶片的光合荧光潜能指数

4.20.4 淹水结束时地上部形态观测

淹水 5 天处理组的植株有少量叶片变黄，未出现叶片脱落和病虫害现象，观赏效果好，地上部分生长势正常；淹水 10 天处理组的植株，部分叶片褪色变黄，未出现叶片脱落和虫害现象，观赏效果较好；淹水 15 天处理组的植株有少量落叶，观赏效果较好（图 4-118）。这表明淹水对蔷薇地上形态的影响主要表现为叶片褪绿。

对照组　淹水5天　淹水10天　淹水15天

图 4-118　不同淹水处理条件下蔷薇地上部形态变化

4.20.5　淹水结束时根系形态观测

对照组根系中的老根呈土黄色；淹水组根系完整；淹水 5 天处理组的根系呈花白色；淹水 10 天处理组的根系呈灰黑色；淹水 15 天处理组的根系呈灰白色（图 4-119）。这表明淹水会对蔷薇根系产生影响，且随淹水时间的增加，根系受害程度逐渐加重。

对照组　淹水5天

图 4-119

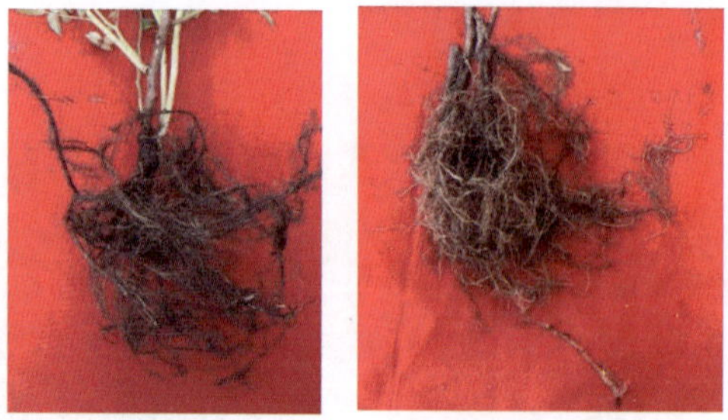

淹水10天　　淹水15天

图 4-119　不同淹水处理条件下蔷薇根系形态变化

4.20.6　恢复养护后形态观测

恢复养护一个月后，对照组植株部分叶片枯萎；淹水 5 天处理组植株恢复效果较好，少量叶片褪绿，生长势正常；淹水 10 天处理组植株恢复效果较好，部分枝端及叶片褪绿变黄，生长势较强；淹水 15 天处理组植株恢复效果较好，少量叶片褪绿发黄（图 4-120）。

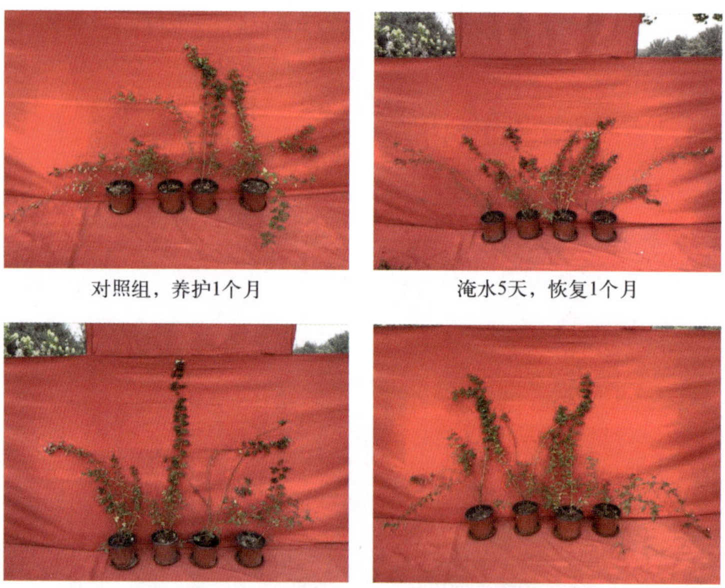

对照组，养护1个月　　淹水5天，恢复1个月

淹水10天，恢复1个月　　淹水15天，恢复1个月

图 4-120　不同淹水处理的蔷薇恢复生长一个月后地上部形态变化

由表 4-20 可知，淹水组蔷薇恢复养护一个月后，耐涝能力评价为极强，

恢复养护至越冬后，耐涝能力评价仍为极强。恢复养护后植株生长正常，越冬后，植株仍然可以正常生长，表明淹水对蔷薇的影响较小。

表 4-20 蔷薇恢复养护后不同淹水处理组成活率、观赏效果及耐涝能力评价

恢复养护	淹水 5 天		淹水 10 天		淹水 15 天		耐涝能力评价
	成活率	观赏效果	成活率	观赏效果	成活率	观赏效果	
一个月	100%	5	100%	5	100%	5	极强
越冬后	100%	5	100%	5	100%	5	极强

综合来看，在淹水处理期间，淹水对蔷薇的影响主要表现为叶绿素含量增高，光合作用减弱；对地上形态的影响主要表现为叶片褪绿；根系主要变化是颜色变深；恢复养护后植株可以正常生长；越冬后，植株仍然可以正常生长。

结果表明淹水对蔷薇具有轻微影响，在生理和形态上的影响较小，对后期的养护、越冬的影响均不显著。

由此可知，蔷薇的耐涝能力为极强。

4.21 小结

常见灌木、藤本植物耐涝能力综合评分及分级见表 4-21。

表 4-21 常见灌木、藤本植物耐涝能力综合评分及分级

序号	树种	得分	耐涝等级	序号	树种	得分	耐涝等级
1	紫藤	98.71	极强	13	猬实	96.24	极强
2	玫瑰	98.61	极强	14	欧洲荚蒾	95.83	极强
3	麦李	98.00	极强	15	美国凌霄	95.59	极强
4	天目琼花	98.00	极强	16	紫荆	65.28	差
5	紫珠	98.00	极强	17	凤尾丝兰	95.11	极强
6	绚丽海棠	97.40	极强	18	胶东卫矛	64.82	差
7	蔷薇	97.28	极强	19	月季花	74.18	中
8	紫薇	77.19	中	20	扶芳藤	63.51	差
9	锦鸡儿	97.10	极强	21	红瑞木	93.38	极强
10	藤本月季	96.90	极强	22	大叶黄杨	71.82	中
11	凌霄	96.28	极强	23	郁李	90.18	极强
12	荆条	96.27	极强	24	贴梗海棠	89.71	强

续表

序号	树种	得分	耐涝等级	序号	树种	得分	耐涝等级
25	木槿	69.09	差	43	小叶黄杨	68.00	差
26	海州常山	18.57	极差	44	金钟花	68.00	差
27	平枝栒子	88.07	强	45	金叶接骨木	66.99	差
28	金叶女贞	67.62	差	46	紫叶矮樱	66.00	差
29	五叶地锦	83.30	强	47	锦带花	65.09	差
30	金焰绣线菊	62.95	差	48	糯米条	62.90	差
31	金银木	71.88	中	49	金叶莸	59.08	极差
32	黄刺玫	68.00	差	50	大花醉鱼草	58.58	极差
33	香茶藨子	80.81	强	51	小花溲疏	58.48	极差
34	紫叶小檗	77.00	中	52	棣棠	58.08	极差
35	金叶粉花绣线菊	76.61	中	53	重瓣榆叶梅	57.85	极差
36	圆锥绣球	75.08	中	54	连翘	57.84	极差
37	珍珠梅	62.99	差	55	紫叶风箱果	55.77	极差
38	水栒子	72.81	中	56	金叶风箱果	51.49	极差
39	火焰卫矛	72.50	中	57	山杏	48.33	极差
40	多花胡枝子	69.52	差	58	金叶连翘	41.34	极差
41	白丁香	68.02	差	59	胡枝子	34.00	极差
42	太平花	24.00	极差	60	迎春花	31.47	极差

第5章

松柏类园林植物耐涝性评价

5.1 雪松

5.1.1 叶片干鲜比、含水率变化

在淹水处理期间，淹水组雪松叶片的干鲜比、含水率与对照组相近（图 5-1），表明淹水对雪松叶片的含水率影响不大。

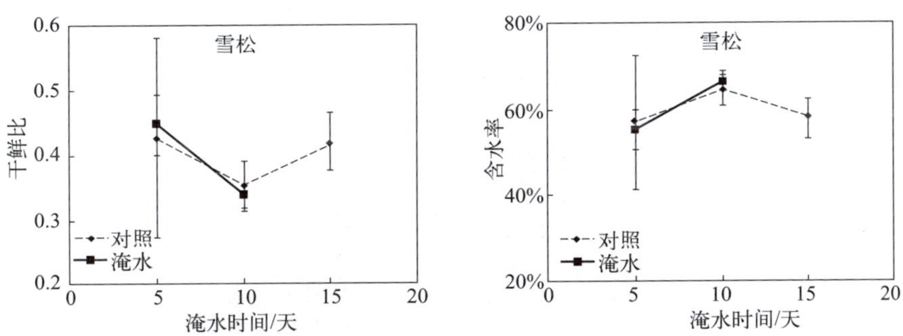

图 5-1 不同淹水处理条件下雪松叶片的干鲜比、含水率

5.1.2 淹水结束时地上部形态观测

淹水 5 天处理组的植株枝干挺拔，针叶青绿色，未出现叶片脱落和病虫害现象，观赏效果好，地上部分生长势正常；淹水 10 天处理组的植株茎干挺拔，叶色灰绿，未出现叶片脱落和虫害现象，部分植株枝顶针叶黄绿，观赏效果较好；淹水 15 天处理组的植株枝干挺拔，叶色黄绿，观赏效果较好（图 5-2）。这表明淹水对雪松地上形态的影响主要表现为叶片逐渐褪绿黄化。

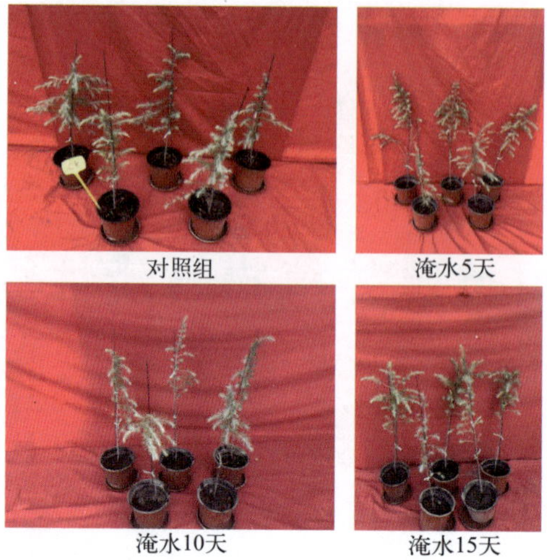

图 5-2　不同淹水处理条件下雪松地上部形态变化

5.1.3　淹水结束时根系形态观测

对照组的根系有光泽，老根呈棕黑色，新根呈白色；淹水 5 天处理组的根系完整，呈棕黑色；淹水 10 天处理组的老根呈灰黑色，新根呈白色；淹水 15 天处理组的根系呈灰黑色，部分新根呈缢缩状（图 5-3）。这表明淹水会对雪松根系产生影响，且淹水时间的增加，根系受害逐渐加重。

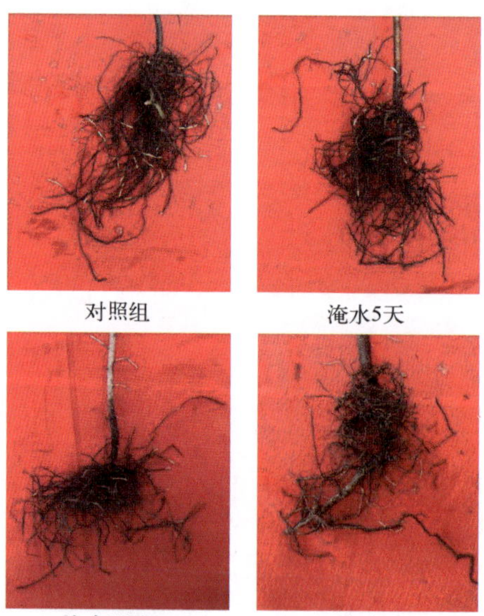

图 5-3　不同淹水处理条件下雪松根系形态变化

5.1.4 恢复养护后形态观测

恢复养护一个月后，淹水 5 天处理组的植株恢复效果良好，叶色灰绿，生长势正常；淹水 10 天处理组的植株恢复效果较好，枝端呈黄绿色；淹水 15 天处理组的植株恢复效果一般，针叶均匀褪绿，呈黄绿色（图 5-4）。

对照组，养护1个月

淹水5天，恢复1个月

淹水10天，恢复1个月

淹水15天，恢复1个月

图 5-4 不同淹水处理的雪松恢复生长一个月后地上部形态变化

由表 5-1 可知，淹水组雪松恢复养护一个月后，耐涝能力评价为强，恢复养护至越冬后，耐涝能力评价为极差。这表明淹水对雪松的影响较小，仅表现为随淹水时间的增加，观赏效果逐渐降低，但淹水后的雪松不能越冬。

表 5-1 雪松恢复养护后不同淹水处理组成活率、观赏效果及耐涝能力评价

恢复养护	淹水 5 天		淹水 10 天		淹水 15 天		耐涝能力评价
	成活率	观赏效果	成活率	观赏效果	成活率	观赏效果	
一个月	100%	5	100%	4	100%	3	强
越冬后	0%	0	0%	0	0%	0	极差

综合来看，在淹水处理期间，淹水对雪松针叶含水情况的影响较小，但对针叶颜色和雪松根系的影响较大；恢复养护后，仅观赏效果下降，而未出现植

株死亡情况，越冬后，淹水全部植株死亡。

结果表明淹水对雪松在越冬前的生长状况影响不大，影响仅表现在叶片颜色上，而对雪松在越冬后的生长状况影响较大，所有经淹水处理的植株均死亡，这可能是由于在淹水过程中，淹水使根系受害。

由此可知，雪松的耐涝能力为极差。

5.2 沙地柏

5.2.1 叶片干鲜比、含水率变化

在淹水处理期间，淹水组沙地柏的叶片的干鲜比、含水率与对照组相近（图 5-5）。

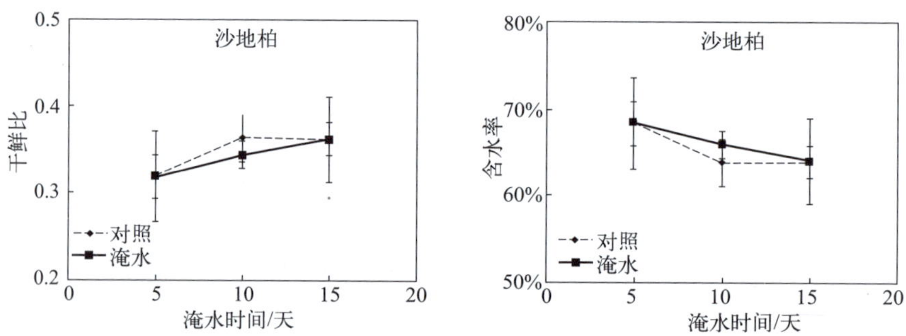

图 5-5 不同淹水处理条件下沙地柏叶片的干鲜比、含水率

5.2.2 淹水结束时地上部形态观测

淹水组植株叶色翠绿，未出现叶片脱落和病虫害现象，地上部分生长势正常，观赏效果好（图 5-6），表明淹水对沙地柏地上形态的影响较小。

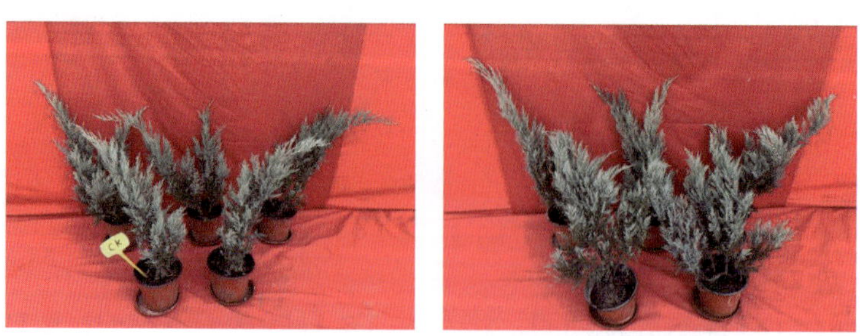

对照组　　淹水5天

淹水10天

淹水15天

图 5-6 不同淹水处理条件下沙地柏地上部形态变化

5.2.3 淹水结束时根系形态观测

对照组根系中的老根有光泽，呈棕褐色，新根牙白色；淹水 5 天处理组的根系完整，呈棕褐色；淹水 10 天、15 天处理组的根系呈深褐色，有光泽（图 5-7）。这表明淹水对沙地柏根系有一定影响。

对照组

淹水5天

淹水10天

淹水15天

图 5-7 不同淹水处理条件下沙地柏根系形态变化

5.2.4 恢复养护后形态观测

恢复养护一个月后，淹水组植株恢复效果均较好，叶色翠绿，生长势正常

（图 5-8）。

对照组，养护1个月　　淹水5天，恢复1个月

淹水10天，恢复1个月　　淹水15天，恢复1个月

图 5-8　不同淹水处理的沙地柏恢复生长一个月后地上部形态变化

由表 5-2 可知，淹水组沙地柏恢复养护一个月后，耐涝能力评价为极强，恢复养护至越冬后，耐涝能力评价仍为极强，表明淹水对沙地柏的影响较小，所有植株均正常生长，观赏效果良好。

表 5-2　沙地柏恢复养护后不同淹水处理组成活率、观赏效果及耐涝能力评价

恢复养护	淹水 5 天		淹水 10 天		淹水 15 天		耐涝能力评价
	成活率	观赏效果	成活率	观赏效果	成活率	观赏效果	
一个月	100%	5	100%	5	100%	5	极强
越冬后	100%	5	100%	5	100%	5	极强

综合来看，在淹水处理期间，淹水对沙地柏的影响较小，仅表现为生理和形态等的轻微变化，并不影响植株的正常生长；恢复养护后植株也未出现明显变化，越冬后植株可正常生长，观赏效果依然良好。

结果表明淹水对沙地柏的影响较小。

由此可知，沙地柏的耐涝能力极强。

5.3 桧柏

5.3.1 叶片干鲜比、含水率变化

在淹水处理期间，淹水组桧柏叶片的干鲜比、含水率与对照组相近（图 5-9），表明淹水对桧柏叶片含水率的影响不大。

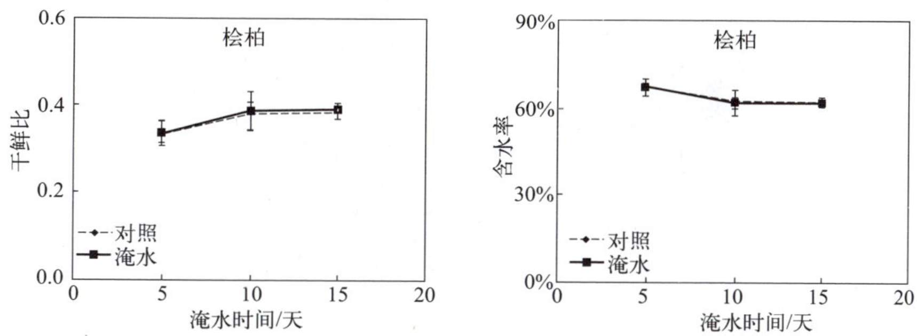

图 5-9 不同淹水处理条件下桧柏叶片的干鲜比、含水率

5.3.2 淹水结束时地上部形态观测

淹水组桧柏植株叶色翠绿，未出现叶片脱落和病虫害现象，地上部分生长势正常，观赏效果好（图 5-10），表明淹水对桧柏地上形态的影响较小。

对照组

淹水5天

淹水10天

淹水15天

图 5-10 不同淹水处理条件下桧柏地上部形态变化

5.3.3 淹水结束时根系形态观测

对照组根系中的老根呈棕褐色，新根牙白色；淹水 5 天处理组的根系完整，呈棕褐色；淹水 10 天处理组的老根呈黑色，新根灰白色；淹水 15 天处理组的新根呈灰白色（图 5-11）。这表明淹水对桧柏根系产生一定影响，但影响较小。

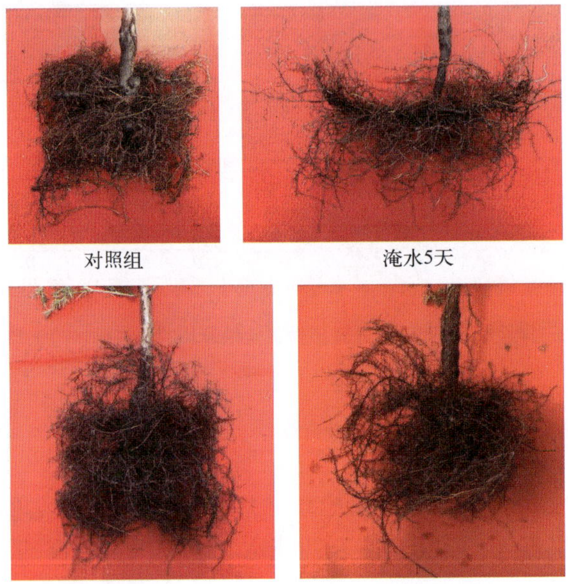

对照组　淹水5天

淹水10天　淹水15天

图 5-11 不同淹水处理条件下桧柏根系形态变化

5.3.4 恢复养护后形态观测

恢复养护一个月后，淹水组植株恢复效果均较好，叶色翠绿，生长势全部正常（图 5-12）。

对照组，养护1个月　淹水5天，恢复1个月

淹水10天，恢复1个月　　淹水15天，恢复1个月

图 5-12 不同淹水处理的桧柏恢复生长一个月后地上部形态变化

由表 5-3 可知，淹水组桧柏恢复养护一个月后，耐涝能力评价为极强，恢复养护至越冬后，耐涝能力评价为强。恢复养护后，植株生长状态未明显改变，越冬后，短时间（5 天、10 天）淹水处理组中个别植株死亡，而长时间（15 天）淹水处理组未有植株死亡，淹水组所有植株均出现观赏效果下降的现象。这表明淹水对桧柏有一定影响，而这种影响主要在越冬后显现。

表 5-3 桧柏恢复养护后不同淹水处理组成活率、观赏效果及耐涝能力评价

恢复养护	淹水 5 天		淹水 10 天		淹水 15 天		耐涝能力评价
	成活率	观赏效果	成活率	观赏效果	成活率	观赏效果	
一个月	100%	5	100%	5	100%	5	极强
越冬后	75%	4	50%	4	100%	4	强

综合来看，在淹水处理期间，淹水对桧柏的影响较小，仅表现为生理和形态上的轻微变化，并不影响植株的正常生长；恢复养护后植株也未出现明显变化，但越冬后部分植株死亡，观赏效果整体下降。

结果表明淹水对桧柏具有一定影响，影响主要在越冬后显现，个别植株死亡，所有植株观赏效果均降低，但下降不明显。

由此可知，桧柏的耐涝能力极强。

5.4 侧柏

5.4.1 叶片干鲜比、含水率变化

在淹水处理期间，淹水组侧柏叶片的干鲜比、含水率与对照组相近（图 5-13）。

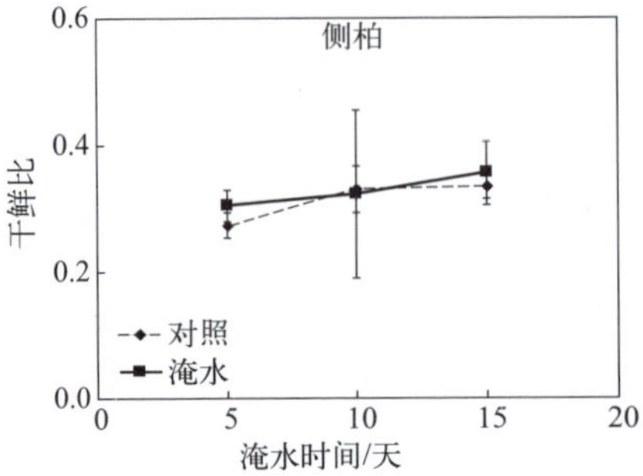

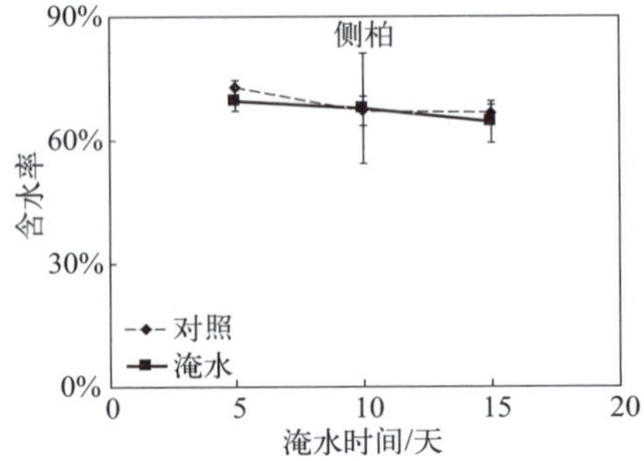

图 5-13 不同淹水处理条件下侧柏叶片的干鲜比、含水率

5.4.2 淹水结束时地上部形态观测

淹水组的植株叶色翠绿，未出现叶片脱落和病虫害现象，地上部分生长势正常，观赏效果好（图 5-14），表明淹水对侧柏地上形态的影响较小。

图 5-14 不同淹水处理条件下侧柏地上部形态变化

5.4.3 淹水结束时根系形态观测

对照组根系中的老根呈棕褐色，新根牙白色；淹水 5 天处理组的根系完整，呈棕褐色，淹水 10 天、15 天处理组的老根呈棕黑色；淹水 15 天处理组

的新根部分根尖腐烂，露出白色髓心（图 5-15）。根系这些变化与植株中下部鳞叶变色和脱落相关联。这表明淹水会对侧柏根系产生影响，且随淹水时间的增加，根系受害程度逐渐加重。

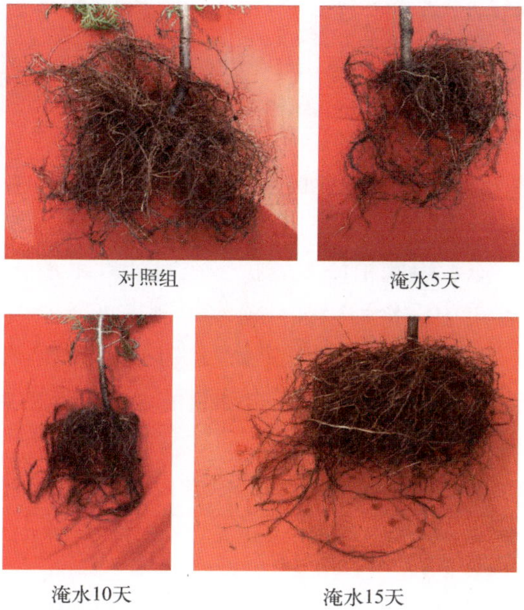

图 5-15 不同淹水处理条件下侧柏根系形态变化

5.4.4 恢复养护后形态观测

恢复养护一个月后，对照组植株中下部少量鳞叶变黄；淹水组植株恢复效果均较好；淹水 10 天、15 天处理组植株的中下部鳞叶变黄严重，生长势一般（图 5-16）。

图 5-16

淹水10天，恢复1个月

淹水15天，恢复1个月

图 5-16 不同淹水处理的侧柏恢复生长一个月后地上部形态变化

由表 5-4 可知，淹水组侧柏恢复养护一个月后，耐涝能力评价为强，恢复养护至越冬后，耐涝能力评价为极强。淹水组侧柏恢复养护后观赏效果逐渐下降，恢复至越冬后，观赏效果得到一定恢复。这表明淹水对侧柏有一定影响，主要是降低观赏效果，但在越冬后可以恢复。

表 5-4 侧柏恢复养护后不同淹水处理组成活率、观赏效果及耐涝能力评价

恢复养护	淹水 5 天		淹水 10 天		淹水 15 天		耐涝能力评价
	成活率	观赏效果	成活率	观赏效果	成活率	观赏效果	
一个月	100%	4	100%	3	100%	3	强
越冬后	100%	5	100%	5	100%	4	极强

综合来看，在淹水处理期间，淹水对侧柏的影响较小，仅表现为在生理和形态等方面产生轻微变化，并不影响植株的正常生长，但根系在一定程度上受害；恢复养护后出现叶片黄化现象，植株观赏效果不佳；养护至越冬后，各淹水组植株观赏性均有恢复。

结果表明淹水对侧柏有一定影响，在淹水期间主要表现为根系受害，恢复养护后，植株观赏效果不佳，越冬后，观赏效果恢复，并没有植株死亡。

由此可知，侧柏的耐涝能力为强。

5.5 白皮松

5.5.1 叶片干鲜比、含水率变化

在淹水处理期间，淹水组白皮松叶片的干鲜比、含水率与对照组相近，淹水组含水率均低于对照组（图 5-17）。

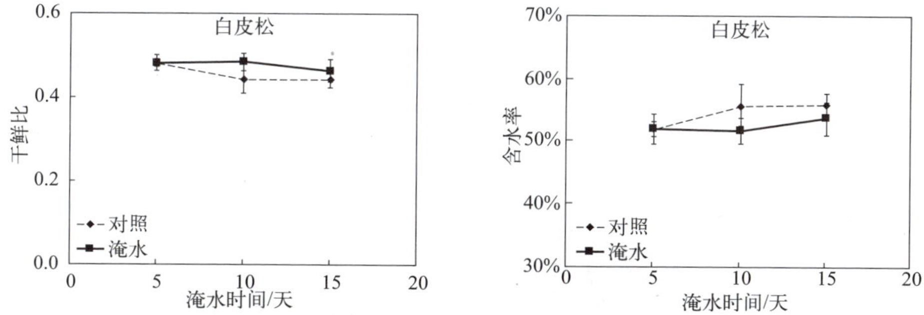

图 5-17 不同淹水处理条件下白皮松叶片的干鲜比、含水率

5.5.2 淹水结束时地上部形态观测

淹水组植株叶色翠绿，未出现叶片脱落和病虫害现象，地上部分生长势正常，观赏效果好（图 5-18）。这表明淹水对白皮松地上形态的影响较小。

图 5-18 不同淹水处理条件下白皮松地上部形态变化

5.5.3 淹水结束时根系形态观测

对照组根系中的老根呈棕褐色，新根牙白色；淹水 5 天处理组的根系

完整，呈棕褐色；淹水 10 天处理组的老根呈黑色，新根呈灰白色；淹水 15 天处理组的新根呈灰白色（图 5-19）。这表明淹水对白皮松根系产生一定的影响。

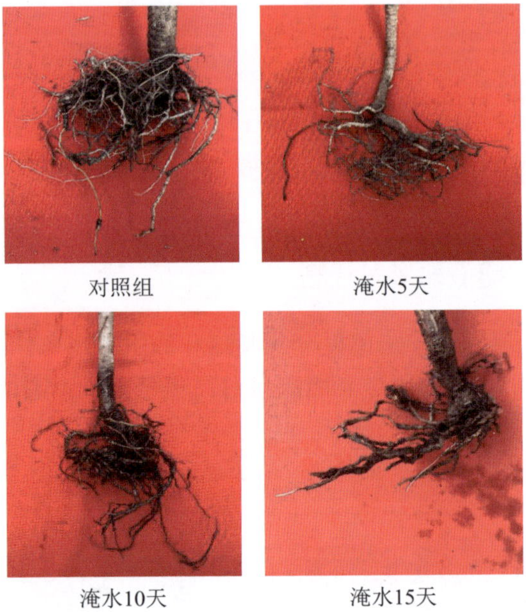

图 5-19　不同淹水处理条件下白皮松根系形态变化

5.5.4　恢复养护后形态观测

恢复养护一个月后，淹水组植株恢复效果均较好，叶色翠绿，生长势正常（图 5-20）。

淹水10天，恢复1个月

淹水15天，恢复1个月

图 5-20 不同淹水处理的白皮松恢复生长一个月后地上部形态变化

由表 5-5 可知，淹水组白皮松恢复养护一个月后，耐涝能力评价为极强，恢复养护至越冬后，耐涝能力评价为差。恢复养护一个月后，所有植株均生长正常，而越冬后，各淹水处理组均出现植株死亡的现象，并且植株观赏性不佳。这表明淹水对白皮松具有一定的影响，而这种影响主要在越冬后显现，对长时间（10 天及以上）淹水处理组植株的影响尤其显著，可能是由于在淹水过程中白皮松根系受害。

表 5-5 白皮松恢复养护后不同淹水处理成活率、观赏效果及耐涝能力评价

恢复养护	淹水 5 天		淹水 10 天		淹水 15 天		耐涝能力评价
	成活率	观赏效果	成活率	观赏效果	成活率	观赏效果	
一个月	100%	5	100%	5	100%	5	极强
越冬后	75%	3	25%	3	25%	2	差

综合来看，在淹水处理期间，淹水对白皮松的影响较大，表现为针叶含水率略有下降，地上形态变化不大，地下根系受到一定程度的损害；恢复养护后，植株可以正常生长；但越冬后，部分植株死亡，观赏性不佳。

结果表明淹水对白皮松的影响较大，并且在越冬后表现。原因可能是在淹水期间，植株根系受害，未经寒冷时，淹水对植株正常的生长影响不大，经过寒冷的严冬，根系的受害对植株的正常生长造成极大的影响，淹水处理的时间越长，造成的影响越大。

由此可知，白皮松的耐涝能力差。

5.6 小结

常见松柏类园林植物耐涝能力综合评分及分级见表 5-6。

表 5-6 常见松柏类园林植物耐涝能力综合评分及分级

序号	树种	得分	耐涝等级
1	白皮松	67.00	差
2	桧柏	100.00	极强
3	沙地柏	100.00	极强
4	龙柏	98.22	极强
5	油松	95.00	极强
6	铺地柏	94.67	极强
7	雪松	59.00	极差
8	侧柏	83.33	强

第6章

草本植物耐涝性评价

6.1 金边玉簪

淹水处理5天后，金边玉簪地上部正常生长；淹水10天后，淹水叶片出现轻微发黄；淹水15天后，淹水叶片出现轻微腐烂（图6-1）。正常养护一个月后，各淹水处理成活率均为100%，且观赏效果较好，综合评分为100分，耐涝能力评价为极强。

图6-1 不同淹水处理条件下金边玉簪地上部形态变化

6.2 拂子茅

淹水 5 天、10 天及 15 天后，拂子茅地上部均正常生长，且随淹水时间的延长，植物基部的淹水部分长出不定根（图 6-2）。正常养护一个月后，淹水处理的拂子茅成活率均为 100%，且观赏效果较好，综合评分为 100 分，耐涝能力评价为极强。

对照组　淹水5天

淹水10天　淹水15天

图 6-2　不同淹水处理条件下拂子茅地上部形态变化

6.3 涝峪薹草

淹水 5 天和 10 天后，涝峪薹草叶片生长正常，淹水 15 天后，叶片出现发黄现象（图 6-3）。正常养护一个月后，淹水处理 5 天、10 天和 15 天的植株成活率分别为 100%、100%、60%，综合评分为 76.7 分，耐涝能力评价为中。

对照组　淹水5天

淹水10天　　淹水15天

图 6-3　不同淹水处理条件下涝峪薹草地上部形态变化

6.4　费菜

淹水 5 天后，费菜叶片出现轻微腐烂现象，仍能正常开花，基部生长正常。淹水 10 天后，叶片腐烂严重，仍可开花。淹水 15 天后，地上部淹水叶片完全腐烂，未淹水叶片仍表现正常，基部未腐烂（图 6-4）。5 天、10 天和 15 天淹水处理正常养护一个月后成活率均为 100%，但由于淹水处理 15 天其下部叶片腐烂，因此观赏效果受到一定程度的影响。综合评分为 83.3 分，耐涝能力评价为强。

对照组　　淹水5天

淹水10天　　淹水15天

图 6-4　不同淹水处理条件下费菜地上部形态变化

6.5 天人菊

淹水5天后，天人菊地上部出现萎蔫发黄现象，淹水叶片腐烂，正常养护一个月后成活率为60%。淹水10天和15天后，茎秆均出现腐烂现象（图6-5），正常养护一个月后成活率均为0%。综合评分为16.7分，耐涝能力评价为极差。

对照组

淹水5天

淹水10天

淹水15天

图6-5 不同淹水处理条件下天人菊地上部形态变化

6.6 鼠尾草

淹水5天后，鼠尾草地上部叶片出现腐烂，腐烂率为20%左右；淹水10天后地上部叶片80%腐烂，茎秆留存；淹水15天后地上部腐烂率达95%以上，茎秆基部基本完全腐烂。5天、10天和15天淹水处理组正常养护一个月后成活率分别为20%、0%、0%，综合评分为6.7分，耐涝能力评价为极差（图6-6）。

对照组

淹水5天

淹水10天　　淹水15天

图 6-6　不同淹水处理条件下鼠尾草地上部形态变化

6.7　车前

车前经淹水处理后，被水浸泡的叶片变黄、萎蔫，淹水时间较长的叶片出现腐烂情况。未被水淹没的部位生长正常，具有良好的观赏效果（图 6-7）。正常养护一个月后，各个处理组植株的成活率均为 100%。由于其整体观赏效果在淹水后受到明显影响，故耐涝能力评价为强。

对照组　　淹水5天

淹水10天　　淹水15天

图 6-7　不同淹水处理条件下车前地上部形态变化

6.8　电灯花

在淹水 5 天、10 天和 15 天处理中电灯花均表现良好。淹水叶片无明显死亡情况，将其在水中取出后，观赏效果良好（图 6-8）。正常养护一个月后，成活率均为 100%，耐涝能力为极强。

图 6-8 不同淹水处理条件下电灯花地上部形态变化

6.9 连钱草

连钱草淹水后，随着淹水时间的延长，淹水处理组盆内的植株覆盖度依次减少（图 6-9）。正常养护一个月后，盆内均有植株成活，但是观赏效果为 5 天 >10 天 >15 天，表明连钱草耐涝能力为中。

图 6-9 不同淹水处理条件下连钱草地上部形态变化

6.10 匍枝委陵菜

匍枝委陵菜淹水后观赏效果显著下降，叶片萎蔫发黄，被水浸泡的部分出现腐烂（图 6-10）。虽然各处理组正常养护一个月后仍能成活，但淹水后植株观赏效果较差，故其耐涝能力为中。

图 6-10 不同淹水处理条件下匍枝委陵菜地上部形态变化

6.11 美国薄荷

淹水 5 天后，美国薄荷叶片萎蔫发黄，淹水 10 天处理组中仅剩未淹水植物为绿色，淹水 15 天植株整株死亡（图 6-11）。正常养护一个月后，三个处理组的成活率分别为 40%、0%、0%，耐涝能力评价为极差。

对照组　淹水5天

淹水10天　淹水15天

图 6-11　不同淹水处理条件下美国薄荷地上部形态变化

6.12　脚苔草

脚苔草在淹水 5 天和 10 天后叶片长势正常，但叶片上附有水中污垢，略微影响观赏效果。淹水 15 天后，其叶片发黄（图 6-12）。正常养护一个月后，淹水 5 天、10 天和 15 天处理组成活率分别为 100%、100%、40%，表明脚苔草耐涝能力为强。

对照组　淹水5天

淹水10天　　淹水15天

图6-12 不同淹水处理条件下脚苔草地上部形态变化

6.13 蛇鞭菊

蛇鞭菊在淹水5天后外观未见明显异常，淹水10天后叶片发黑发黄，淹水15天后地上部出现死亡现象（图6-13）。正常养护一个月后，三个淹水处理组成活率分别为60%、80%、0%，耐涝性为极差。

对照组　　淹水5天

淹水10天　　淹水15天

图6-13 不同淹水处理条件下蛇鞭菊地上部形态变化

6.14 玉带草

淹水5天、10天和15天后，玉带草地上部均正常生长，且随淹水时间的延长，植物基部的淹水部分逐渐长出不定根（图6-14）。正常养护一个月后，三个淹水处理组的玉带草成活率均为100%，表明其耐涝性为极强。

图 6-14　不同淹水处理条件下玉带草地上部形态变化

6.15　狼尾草

狼尾草淹水5天、10天和15天后，地上部均正常生长，且随着淹水时间的延长，植物基部的淹水部位逐渐长出不定根（图6-15）。正常养护一个月后，三个淹水处理组的狼尾草成活率均为100%，表明其耐涝性为极强。

图 6-15　不同淹水处理条件下狼尾草地上部形态变化

6.16 青绿薹草

青绿薹草淹水 5 天、10 天和 15 天后叶片正常（图 6-16）。正常养护一个月后，淹水 5 天、10 天和 15 天处理组植株成活率均为 100%，表明青绿薹草耐涝性为极强。

图 6-16 不同淹水处理条件下青绿薹草地上部形态变化

6.17 桔梗

桔梗淹水 5 天后，地上部未见死亡现象，正常养护一个月后，植株成活率为 80%，但观赏效果一般。淹水 10 天后，植株地上部出现萎蔫，被水浸泡的叶片出现腐烂（图 6-17），正常养护一个月后，均未完全死亡，但观赏效果很差。淹水 15 天并正常养护一个月后，植株完全死亡。综合考虑，桔梗耐涝性为极差。

图 6-17

图 6-17 不同淹水处理条件下桔梗地上部形态变化

6.18 赛菊芋

赛菊芋淹水 5 天后地上部出现萎蔫、发黄现象，淹水叶片腐烂（图 6-18），正常养护一个月后，成活率仅为 20%，且只有单独枝条存活；淹水 10 天和 15 天后，茎秆均出现腐烂，正常养护一个月后，成活率均为 0%，表明赛菊芋耐涝性为极差。

图 6-18 不同淹水处理条件下赛菊芋地上部形态变化

6.19 射干

射干淹水 5 天、10 天和 15 天后，地上部均出现叶片发黄的现象（图 6-19），正常养护一个月后，三个处理组植株的成活率分别为 100%、100%、80%，但植株看起来与对照组植株差异较大，主要是由于初始淹水时植物叶片较少，而非淹水处理造成的。故射干耐涝性评价为强。

图 6-19 不同淹水处理条件下射干地上部形态变化

6.20 黄花鸢尾

淹水 5 天、10 天和 15 天后，黄花鸢尾地上部均正常生长，个别植株出现轻微的叶片发黄现象，整体观赏效果与对照组无明显差异（图 6-20）。正常养护一个月后，各处理组植株的成活率均为 100%，且观赏效果良好，表明黄花鸢尾耐涝性为极强。

图 6-20

淹水10天

淹水15天

图 6-20 不同淹水处理条件下黄花鸢尾地上部形态变化

6.21 大花秋葵

淹水 5 天、10 天和 15 天后，大花秋葵地上部均正常生长，且随淹水时间的延长，植物基部的淹水部分逐渐长出不定根（图 6-21）。正常养护一个月后，三个淹水处理组的大花秋葵成活率均为 100%，表明其耐涝性为极强。

对照组

淹水5天

淹水10天

淹水15天

图 6-21 不同淹水处理条件下大花秋葵地上部形态变化

6.22 蜀葵

蜀葵淹水 5 天后，地上部大部分腐烂，仅存个别叶片；淹水 10 天后，地上部腐烂达 95% 以上，仅存基部及部分叶柄；淹水 15 天后，植株完全腐烂。

正常养护一个月后，各淹水处理组植株成活率均为 0%（图 6-22），表明蜀葵耐涝性为极差。

对照组　淹水5天

淹水10天　淹水15天

图 6-22 不同淹水处理条件下蜀葵地上部形态变化

6.23 藁本

藁本淹水 5 天后，地上部叶片大部分腐烂，茎秆留存；淹水 10 天后，地上部叶片基本完全腐烂，茎秆留存；淹水 15 天后，地上部腐烂率达 90% 以上，仅存基部茎秆。正常养护一个月后，5 天、10 天和 15 天淹水处理组植株成活率分别为 80%、0%、0%（图 6-23），表明藁本耐涝性为极差。

对照组　淹水5天

图 6-23

淹水10天 淹水15天

图 6-23 不同淹水处理条件下藁本地上部形态变化

6.24 藿香

淹水 5 天后，藿香地上部叶片大部分腐烂，茎秆留存；淹水 10 天后，地上部叶片基本腐烂，茎秆留存；淹水 15 天后，地上部腐烂率达 90% 以上，仅存基部茎秆。正常养护一个月后，5 天、10 天和 15 天淹水处理组植株成活率分别为 80%、0%、0%（图 6-24），表明藿香耐涝性为极差。

对照组 淹水5天

淹水10天 淹水15天

图 6-24 不同淹水处理条件下藿香地上部形态变化

6.25 荆芥

淹水 5 天后，荆芥地上部浸水叶片出现腐烂，未浸水叶片表现正常，仍能正常开花；淹水 10 天后，地上部叶片 70% 腐烂；淹水 15 天后，地上部基本腐烂，仅剩个别超出水面的叶片保持绿色，但根部已经完全腐烂。正常养护一个月后，5 天、10 天和 15 天淹水处理组植株的成活率分别为 20%、0%、0%（图 6-25），表明荆芥耐涝性为极差。

图 6-25 不同淹水处理条件下荆芥地上部形态变化

6.26 黑心菊

黑心菊淹水 5 天后，地上部浸水叶片出现萎蔫，未浸水叶片表现正常，仍能正常开花。淹水 10 天后，地上部 90% 以上叶片萎蔫。淹水 15 天后，地上部腐烂严重。正常养护一个月后，5 天、10 天和 15 天淹水处理组植株成活率分别为 100%、80%、0%（图 6-26），表明黑心菊耐涝性为极差。

图 6-26

淹水10天

淹水15天

图 6-26 不同淹水处理条件下黑心菊地上部形态变化

6.27 假龙头

假龙头淹水 5 天、10 天和 15 天后地上部均正常生长，且能正常开花（图 6-27）。正常养护一个月后，三个淹水处理组的植株成活率均为 100%，表明其耐涝性为极强。

对照组

淹水5天

淹水10天

淹水15天

图 6-27 不同淹水处理条件下假龙头地上部形态变化

6.28 八宝景天

八宝景天淹水 5 天后出现叶片脱落的现象，仍能正常开花，基部生长正常。淹水 10 天后叶片脱落、变黄，萎蔫现象明显，基部干皮轻微腐烂。淹水 15 天后，地上部萎蔫严重，基部腐烂，但土壤内有新芽萌出（图 6-28）。正常养护一个月后，5 天、10 天和 15 天淹水处理组植株成活率分别为 100%、40% 和 100%。淹水 15 天组成活率 100% 是指全部有新芽萌出，而非原有地上部存活。淹水 5 天处理组地上部仍可正常生长，但观赏效果非常差，故八宝景天耐涝性为极差。

对照组　淹水5天　淹水10天　淹水15天

图 6-28 不同淹水处理条件下八宝景天地上部形态变化

6.29 荷兰菊

淹水 5 天、10 天和 15 天后，荷兰菊地上部均正常生长，未见任何异常（图 6-29）。正常养护一个月后，三个淹水处理组植株成活率均为 100%，且观赏效果良好，表明其耐涝性为极强。

图 6-29　不同淹水处理条件下荷兰菊地上部形态变化

6.30　黄芩

黄芩淹水 5 天后，地上部浸水叶片出现腐烂、脱落现象，未浸水叶片表现正常，仍能正常开花。淹水 10 天后，地上部叶片 70% 腐烂，淹水 15 天后，地上部基本腐烂（图 6-30）。正常养护一个月后，5 天、10 天和 15 天淹水处理组植株成活率分别为 25%、0%、0%，表明黄芩耐涝性为极差。

淹水10天

淹水15天

图 6-30　不同淹水处理条件下黄芩地上部形态变化

6.31　松果菊

淹水 5 天后，松果菊地上部长势较好，未见显著异常；淹水 10 天后，地上部叶片 70% 变黄腐烂；淹水 15 天后，地上部基本腐烂（图 6-31）。正常养护一个月后，5 天、10 天和 15 天淹水处理组植株成活率均为 0%，表明松果菊耐涝性为极差。

对照组

淹水5天

淹水10天

淹水15天

图 6-31　不同淹水处理条件下松果菊地上部形态变化

6.32 大叶铁线莲

淹水 5 天后，大叶铁线莲地上部叶片萎蔫干枯；淹水 10 天后，地上部叶片 90% 变黄干枯；淹水 15 天后，地上部基本死亡，基部腐烂（图 6-32）。正常养护一个月后，5 天、10 天和 15 天淹水处理组植株成活率均为 0%，表明大叶铁线莲耐涝性为极差。

图 6-32 不同淹水处理条件下大叶铁线莲地上部形态变化

6.33 马蔺

马蔺淹水 5 天、10 天和 15 天后地上部均正常生长，未见任何异常。正常养护一个月后，三个淹水处理组植株成活率均为 100%（图 6-33），且观赏效果良好，表明其耐涝性为极强。

对照组　淹水5天

淹水10天　淹水15天

图 6-33 不同淹水处理条件下马蔺地上部形态变化

6.34 蛇莓

淹水 5 天后，蛇莓浸水叶片出现轻微腐烂现象，整体生长正常，淹水 10 天后，淹水叶片严重腐烂，淹水 15 天叶片仍为绿色，与淹水处理 5 天和 10 天后的差异不大（图 6-34）。5 天、10 天和 15 天淹水处理组植株在正常养护一个月后成活率均为 100%，但由于其在淹水处理后观赏效果均受到一定程度的影响，故其耐涝性为强。

对照组　淹水5天

图 6-34

淹水10天　　淹水15天

图 6-34　不同淹水处理条件下蛇莓地上部形态变化

6.35　山韭

山韭淹水5天后，浸水叶片出现轻微腐烂现象，整体生长正常；淹水10天后，淹水叶片腐烂情况加重；淹水15天后，地上部基本腐烂（图6-35）。正常养护一个月后，5天、10天和15天淹水处理组植株成活率分别为100%、100%、0%，但淹水10天后其观赏效果较差，故其耐涝性为极差。

对照组　　淹水5天

淹水10天　　淹水15天

图 6-35　不同淹水处理条件下山韭地上部形态变化

6.36 垂盆草

淹水 5 天后，垂盆草浸水叶片轻微发黄，整体生长正常；淹水 10 天后，淹水叶片腐烂情况加重；淹水 15 天后，地上部基本腐烂（图 6-36）。正常养护一个月后，5 天、10 天和 15 天淹水处理组植株成活率分别为 100%、100%、0%，故其耐涝性为极差。

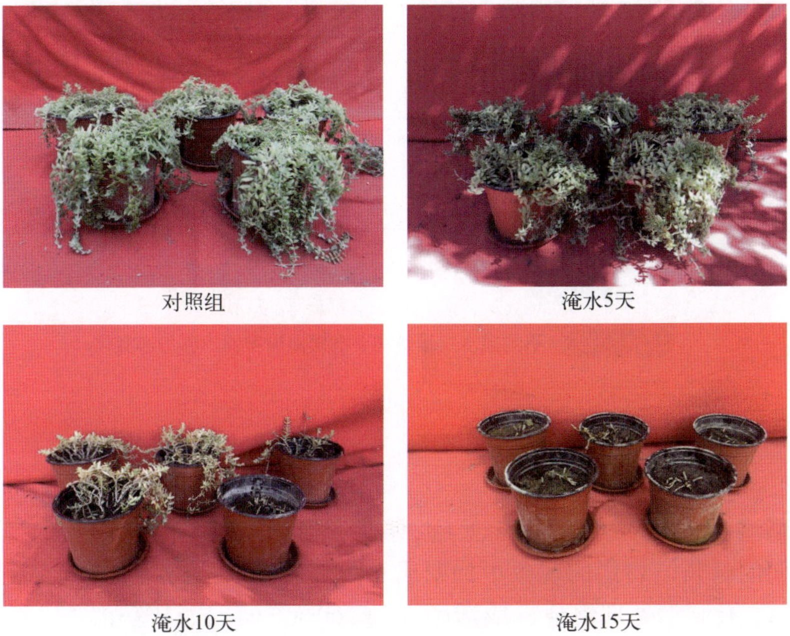

图 6-36 不同淹水处理条件下垂盆草地上部形态变化

6.37 宿根福禄考

宿根福禄考淹水 5 天、10 天和 15 天后，地上部均出现叶片干枯的现象，随着淹水时间的延长，干枯的现象更加明显，地上部基本死亡，基部表皮腐烂（图 6-37）。正常养护一个月后，5 天、10 天和 15 天淹水处理组植株成活率均为 0%，表明宿根福禄考耐涝性为极差。

对照组

淹水5天

淹水10天

淹水15天

图 6-37 不同淹水处理条件下宿根福禄考地上部形态变化

6.38 蓍草

蓍草淹水 5 天、10 天和 15 天后，地上部叶片均出现萎蔫腐烂的现象，随淹水时间的延长，腐烂的现象更加明显（图 6-38）。正常养护一个月后，5 天、10 天和 15 天淹水处理组植株成活率均为 100%，但均为从基部重新萌发出的小芽，观赏效果受到显著影响，故其耐涝性为极差。

对照组

淹水5天

淹水10天

淹水15天

图 6-38 不同淹水处理条件下蓍草地上部形态变化

6.39 瞿麦

瞿麦淹水 5 天、10 天和 15 天后，地上部出现枯黄，同时也有部分分枝呈绿色（图 6-39）。正常养护一个月后，5 天、10 天和 15 天淹水处理组植株成活率分别为 60%、0%、0%，耐涝性为极差。

对照组

淹水5天

淹水10天

淹水15天

图 6-39 不同淹水处理条件下瞿麦地上部形态变化

6.40 婆婆纳

婆婆纳淹 5 天、10 天和 15 天后地上部均正常生长，未见任何异常。正常养护一个月后，三个淹水处理成活率均为 100%，且观赏效果良好（图 6-40），表明其耐涝性为极强。

对照组 淹水5天 淹水10天 淹水15天

图 6-40 不同淹水处理条件下婆婆纳地上部形态变化

第7章

北方地区常用园林植物耐涝性评价总结与应用前景

7.1 北方地区常用园林植物耐涝性评价速查表

根据木本植物和草本植物耐涝能力评价指标，对供试植物进行了详细的评价指标测定，并根据每种植物的综合评分，对94种木本植物和44种草本植物进行了耐涝能力分级。具体分级结果见表7-1和表7-2。

表7-1 常见木本园林植物耐涝能力综合评分及分级

序号	树种	得分	耐涝等级	序号	树种	得分	耐涝等级
1	桧柏	100.00	极强	12	白蜡树	97.62	极强
2	白皮松	67.00	差	13	绚丽海棠	97.40	极强
3	沙地柏	100.00	极强	14	蔷薇	97.28	极强
4	紫藤	98.71	极强	15	紫薇	77.19	中
5	玫瑰	98.61	极强	16	锦鸡儿	97.10	极强
6	龙柏	98.22	极强	17	藤本月季	96.90	极强
7	丝棉木	98.00	极强	18	绒毛白蜡	96.55	极强
8	紫珠	98.00	极强	19	中华金叶榆	96.36	极强
9	天目琼花	98.00	极强	20	凌霄	96.28	极强
10	柿	98.00	极强	21	荆条	96.27	极强
11	麦李	98.00	极强	22	猬实	96.24	极强

续表

序号	树种	得分	耐涝等级	序号	树种	得分	耐涝等级
23	欧洲荚蒾	95.83	极强	50	金叶女贞	67.62	差
24	西府海棠	95.78	极强	51	栾树	86.88	强
25	美国凌霄	95.59	极强	52	黑枣	86.00	强
26	紫荆	65.28	差	53	侧柏	83.33	强
27	凤尾丝兰	95.11	极强	54	五叶地锦	83.30	强
28	油松	95.00	极强	55	金焰绣线菊	62.95	差
29	胶东卫矛	64.82	差	56	金银木	71.88	中
30	铺地柏	94.67	极强	57	黄刺玫	68.00	差
31	银杏	84.42	强	58	白桦	81.00	强
32	月季花	74.18	中	59	香茶藨子	80.81	强
33	榆树	93.90	极强	60	垂柳	79.40	中（极强）
34	速生杨	93.62	极强	61	黄栌	77.18	中
35	扶芳藤	63.51	差	62	紫叶小檗	77.00	中
36	红瑞木	93.38	极强	63	金叶粉花绣线菊	76.61	中
37	山楂	93.33	极强	64	圆锥绣球	75.08	中
38	‘金叶’梣叶槭	92.83	极强	65	火炬树	0.00	极差
39	法桐	79.40	中	66	珍珠梅	62.99	差
40	大叶黄杨	71.82	中	67	水栒子	72.81	中
41	国槐	89.23	强	68	火焰卫矛	72.50	中
42	郁李	90.18	极强	69	玉兰	59.30	极差
43	刺槐	89.13	强	70	多花胡枝子	69.52	差
44	雪松	59.00	极差	71	白丁香	68.02	差
45	贴梗海棠	89.71	强	72	碧桃	68.00	差
46	木槿	69.09	差	73	小叶黄杨	68.00	差
47	暴马丁香	89.00	强	74	金钟花	68.00	差
48	平枝栒子	88.07	强	75	金叶接骨木	66.99	差
49	元宝枫	87.64	强	76	紫叶矮樱	66.00	差

续表

序号	树种	得分	耐涝等级	序号	树种	得分	耐涝等级
77	锦带花	65.09	差	86	紫叶风箱果	55.77	极差
78	糯米条	62.90	差	87	山桃	55.30	极差
79	紫丁香	61.08	差	88	金叶风箱果	51.49	极差
80	金叶莸	59.08	极差	89	山杏	48.33	极差
81	大花醉鱼草	58.58	极差	90	金叶连翘	41.34	极差
82	小花溲疏	58.48	极差	91	胡枝子	34.00	极差
83	棣棠	58.08	极差	92	迎春花	31.47	极差
84	重瓣榆叶梅	57.85	极差	93	太平花	24.00	极差
85	连翘	57.84	极差	94	海州常山	18.57	极差

表 7-2 常见草本园林植物耐涝能力综合评分及分级

序号	物种	得分	耐涝等级	序号	物种	得分	耐涝等级
1	马蔺	100.0	极强	23	蓍草	53.3	极差
2	荷兰菊	100.0	极强	24	垂盆草	52.5	极差
3	黄花鸢尾	100.0	极强	25	山韭	50.0	极差
4	大花秋葵	100.0	极强	26	黑心菊	46.7	极差
5	金边玉簪	100.0	极强	27	芨芨草	33.3	极差
6	拂子茅	100.0	极强	28	蛇鞭菊	30.0	极差
7	青绿薹草	100.0	极强	29	桔梗	26.7	极差
8	高山紫菀	100.0	极强	30	藁本	16.7	极差
9	婆婆纳	96.7	极强	31	天人菊	16.7	极差
10	假龙头	96.7	极强	32	瞿麦	13.3	极差
11	电灯花	96.7	极强	33	美国薄荷	10.0	极差
12	车前	86.7	强	34	黄芩	7.5	极差
13	蛇莓	86.7	强	35	宿根福禄考	6.7	极差
14	玉带草	96.7	极强	36	荆芥	6.7	极差
15	射干	83.3	强	37	鼠尾草	6.7	极差
16	费菜	83.3	强	38	赛菊芋	6.7	极差
17	匍枝委陵菜	80.0	中	39	阔叶风铃草	0	极差
18	连钱草	80.0	中	40	肥皂草	0	极差
19	涝峪薹草	76.7	中	41	松果菊	0	极差
20	狼尾草	93.3	极强	42	大叶铁线莲	0	极差
21	脚苔草	83.3	强	43	藿香	0	极差
22	八宝景天	56.7	极差	44	蜀葵	0	极差

根据本研究的评价方法，供试的 94 种木本植物中有 33 种为耐涝性极强的植物（包括垂柳），13 种为耐涝性强的植物，11 种耐涝等级为中，19 种为差，18 种为极差。而供试的 44 种草本植物中有 13 种耐涝能力极强，5 种耐涝性强，3 种耐涝等级为中，23 种为极差。整体来看，木本植物的耐涝性强于草本植物，这与实践经验相符。

对于木本植物评价结果来说，评价结果与实践经验基本一致，除垂柳外，已知耐涝性强的植物其评价结果均为极强或强，已知不耐涝的植物评价结果均为差或极差。这表明本评价方法较为科学合理，可用于木本植物耐涝性评价。根据实际经验来判断，垂柳为极耐涝树种，可长期生长在水边，且在实验过程中长出大量不定根，表明其可以很好地适应淹水环境，但其综合评分为 78.9，评价等级为中，与其实际耐涝性不符。出现这一结果是由于垂柳脱离淹水环境后，不能适应急剧的环境变化，其在淹水 10 天和淹水 15 天处理下生长出的大量不定根完全暴露在空气中，土壤中的根系不能满足植物水分需求，因此垂柳在恢复生长一个月后成活率低。而在实际淹水情况下，一方面，北京地区绿地很难出现淹水长达 10 天以上的情况，另一方面，实际绿地中的垂柳不会面临像盆栽实验中这样急剧的环境改变，因此不会出现垂柳淹水后因不适应脱离淹水环境而出现的死亡现象，因此可放心将垂柳应用于集雨型绿地。故根据实际情况，将垂柳耐涝性划为极强。除垂柳之外的其他植物的综合评分均能较好地代表其耐涝性，可在海绵城市建设过程中提供科学合理的树种选择指导。

7.2 耐涝性鉴定方法和评价指标

水涝胁迫主要限制光合作用与有氧呼吸，同时促进无氧呼吸，也有一些植物在水涝胁迫下光合作用本身并不改变，但光合产物输出受阻，因产物积累而降低了光合速率。淹水除了造成土壤缺氧外，还会产生“水套作用”，引起植物体无氧呼吸,从而产生乙醇等有毒物质，促使植物发生某些适应性变化，如促进叶片衰老和脱落、增加茎直径、形成通气组织以及产生不定根等。这些变化的本质是淹水引起生长素和乙烯相互作用，引起植物体各部分生长变化。研究发现，90% 品种的耐涝性在其幼株与成株间具有较强的正相关性，表明利用幼苗进行抗涝植物筛选具有较高的可靠性。

在耐涝性研究方面，国内外学者开展了大量的相关研究。耐涝性评价指标主要与植株的形态结构、生理代谢、生长状况、存活率等方面相关。存活率和生长状况是评价耐涝性的最直接标准。存活率是评价植物耐涝性的一个重要指标，长期涝渍胁迫下强耐涝性植物的存活率明显高于差耐涝性的植物。根据不同实验目的，已有耐涝性研究的实验处理周期可长达两年，而本研究是为解决北京夏季暴雨季节短时积水问题，因此实验设计的淹水时间为 5 天、10 天和 15 天。通常来说，城市绿地积水不会超过 48 小时，但集雨型绿地可能积水时间略长，但一般不会允许超过 5 天，时间过长会引起蚊蝇滋生等其他连锁问题，因此设置 5 天、10 天和 15 天的淹水处理足以满足本研究筛选耐涝植物的任务要求。

生理代谢的变化也是植物适应淹水胁迫的一个重要方式。研究表明，耐涝性不同的植物根系 ADH 活性、光合速率、苯丙氨酸解氨酶 (PAL) 活性、根系淀粉含量以及气孔参数等指标在涝渍胁迫下差异显著。这些指标在林业和农业中非常重要，因为涝害胁迫会影响木材或农产品品质。马瑞娟等（2013）利用主成分分析法对不同桃砧木品种对淹水的光和响应及其耐涝性进行了评价，齐琳等（2015）利用模糊聚类法对无花果品种幼苗淹水胁迫的生理响应与耐涝性进行了评估。目前国内外的植物耐涝性研究多集中在农作物、果树和林业方面，在园林植物耐涝性方面的研究较少。

对于北京地区耐涝园林植物的筛选来说，本研究更关注短期胁迫，对植物观赏效果的影响。林建城等（2017）对 3 种闽南夹竹桃、棕榈和桑树常见的乔木树种进行了耐涝性研究，根据厦门降雨频次设置间歇性淹水，每次淹水时间为 24~48 小时，整个淹水实验持续 6 个月，覆盖整个厦门汛期。这是一种模拟自然淹水条件的做法，也是一种为了应对当地汛期长、降雨频繁的自然条件，筛选出适宜当地气候特点的植物，为建设海绵城市提供技术支撑的做法。孟晓蕊等（2018）对 4 种引进观赏草在高温及水涝胁迫下的适应性进行了研究，采用模糊数学中的隶属函数法对各个指标进行综合分析，进而对不同品种做出全面评价。但这些研究都没有关注植物脱离涝害胁迫环境后的适应性。对于北京地区木本植物来说，经历涝害胁迫后植物可能能够短期存活，但植物抗性可能会降低，从而影响其越冬能力，因此木本植物越冬后的成活率和观赏效果是非常重要的评价指标。对于草本植物来说，由于其具有较强的再生长能力，植物脱离淹水环境后如能尽快恢复生长势，则对其第二年的生长不会造成太大的影响，因此重点关注其脱离淹水环境后能否尽快恢复生长势。因此，本研究将脱离淹水环境后的植物进行常规养护，待其恢复生长一个月后观测其生长状况，对于木本植物则增加越冬后成活率和观赏效果观测。

现有园林植物的耐涝性研究较粗浅，且筛选品种较少。为了应对海绵城市建设的行业需求，为北京地区海绵城市建设提供耐涝植物品种支持，本研究结合北京地区的气候特点，在夏季降雨集中、易出现大面积积水的季节，设置了 5 天、10 天及 15 天三种淹水时间，淹水高度为高于土壤表面 10 厘米，对北京地区常用的 138 种园林植物进行了耐涝性评价和筛选。同时，为了应对大量植物种筛选的工作量，选取植物受到涝害胁迫时表现较明显的快速测定指标进行测定，包括叶绿素光合荧光潜能、叶片 SPAD、叶片含水率、比叶面积、恢复后成活率、恢复后观赏效果、越冬后成活率和越冬后观赏效果。对于阔叶木本植物来说，以上所有指标全部纳入评价体系；对于针叶木本植物来说，只关注恢复后成活率、恢复后观赏效果、越冬后成活率以及越冬后观赏效果；对于草本植物来说，则只关注恢复后的成活率和观赏效果。

7.3 优选耐涝资源的应用前景

本研究筛选出强耐涝性的园林常用木本植物 46 种（包括垂柳）、草本植物 18 种，这些植物可应对淹水 10 天以上的淹水环境，淹水期间可保持较好的观赏效果，且解除淹水后对景观效果影响不大，因此可应用于海绵城市建成过程中的下沉式绿地、集雨型绿地和雨水花园等，并为已有绿地改建的植物选择提供植物参考。

参考文献

[1] LIU K, HARRISON M T, SHABALA S, et al. The state of the art in modeling waterlogging impacts on plants: what do we know and what do we need to know[J]. Earths Future, 2020, 8: e2020EF001801.

[2] PAN J W, SHARIF R, XU X W, et al. Mechanisms of waterlogging tolerance in plants: Research progress and prospects[J]. Frontiers in Plant Science, 2021, 11: 627331.

[3] VAN VEEN, AKMAN M, JAMAR D C L, et al. Group Ⅶ ethylene response factor diversification and regulation in four species from flood-prone environments[J]. Plant Cell Environ, 2014, 37: 2421-2432.

[4] ZHANG P, LYU D G, JIA L T, et al. Physiological and de novo transcriptome analysis of the fermentation mechanism of cerasus sachalinensis roots in response to short-term waterlogging[J]. BMC Genomics, 2017, 18: 649.

[5] ARBONA V, HOSSAIN Z, LÓPEZ-CLIMENT M, et al. Antioxidant enzymatic activity is linked to waterlogging stress tolerance in citrus[J]. Physiology Plantarum, 2010, 132: 452-466.

[6] NGUYEN V T, VUONG T D, VAN TOAI T, et al. Mapping of quantitative trait loci associated with resistance to phytophthora sojae and flooding tolerance in soybean[J]. Crop Sciencce, 2012, 52: 2481-2493.

[7] KUROH T, NAGAI K, GAMUYAO R, et al. Ethylene-gibberellin signaling underlies adaptation of rice to periodic flooding[J]. Science, 2018, 361: 181-185.

[8] QI X H, Li Q Q, SHEN J T, et al. Sugar enhances waterlogging-induced adventitious root formation in cucumber by promoting auxin transport and signalling[J]. Plant Cell Environ, 2020, 43: 1545-1557.

[9] GEIGENBERGER P. Response of plant metabolism to too little oxygen[J]. Current Opintion in Plant Biology, 2003, 6: 247-256.

[10] GARSSEN A G, BAATTRUP-PEDERSEN A, VOESENEK L, et al. Riparian plant community responses to increased flooding: a meta-analysis. Global Change Biology, 2015, 21: 2881-2890.

[11] MITTLER R, VANDERAUWERA S, SUZUKI N, et al. ROS signaling: the new wave?[J]. Trends in Plant Science, 2011, 16: 300-309.

[12] DAT J F, CAPELLI N, FOLZER H, et al. Sensing and signalling during plant flooding[J]. Plant Physiology and Biochemistry, 2004, 42: 273-282.

[13] LIU F, VanToai T, MOY L P, et al. Global transcription profiling reveals comprehensive insights into hypoxic response in arabidopsis[J]. Plant Physiology, 2005, 137: 1115-1129.

[14] ARBONA V, ZANDALINAS S I, MANZI M, et al. Depletion of abscisic acid levels in roots of flooded carrizo citrange (*Poncirus trifoliata L. Raf.* × *Citrus sinensis L. Osb.*) plants is a stress-specific response associated to the differential expression of PYR/PYL/RCAR receptors[J]. Plant Molecular Biology, 2017, 93: 623-640.

[15] FUKAO T, BAILEY-SERRES J. Ethylene–a key regulator of submergence responses in rice[J]. Plant Science, 2008, 175: 43-51.

[16] BRADFORD K J, YAN G S F. Xylem transport of 1-Aminocyclopropane-1-carboxylic Acid, an ethylene precursor, waterlogged tomato plants[J]. Plant Physiology, 1980, 65(2): 322-326.

[17] ANGELOV M N, SUNG S J S, DOONG R L, et al. Long-term and short-term flooding effects on survival and sink -source relationships of swamp-adapted tree species[J]. Tree Physiology, 1996, 16(5): 477-484.

[18] Wagner I. Testing of juvenile-mature-correlations with special reference to water supply for 12 clones of Norway spruce (*Picea abies L. Karst.*). Illustration of height growth[J]. Forstwissenschaftliches Centralblatt, 1994, 113:125-136.

[19] 余叔文，汤章城 . 植物生理与分子生物学 [M] . 北京 : 科学出版社，1998.

[20] 卓仁英，陈益泰 . 木本植物抗涝性研究进展 [J]. 林业科学，2001，14: 215-222.

[21] 马瑞娟，张斌斌，蔡志翔，等 . 不同桃砧木品种对淹水的光合响应及其耐涝性评价 [J]. 园艺学报，

2013，40(3): 409-416.
[22] 齐琳，马娜，吴雯雯，等 . 无花果品种幼苗淹水胁迫的生理响应与耐涝性评估 [J]. 园艺学报，2015，42(7): 1273-1284.
[23] 林建城，朱木兰，李雪珺，等 . 几种闽南常见乔本植物其耐涝性研究 [J]. 科技创业月刊，2017，30(7): 139-140.
[24] 孟晓蕊，高凡，朱婷，等 . 4 种引进观赏草在高温及水涝胁迫下的适应性 [J]. 江苏农业科学，2018，46(10): 138-144.